CLASSICOLYCÉE

Micromégas
Histoire philosophique

VOLTAIRE

Dossier par Elsa Faure
Certifiée de lettres modernes

D1254028

BELIN ■ GALLIMARD

Sommaire

Le tour de l'œuvre en 8 fiches

Groupements de textes

Vers l'écrit du Bac

Fenêtres sur...   91

Des ouvrages à lire, des films et des adaptations
théâtrales à voir, une pièce musicale à écouter
et des sites Internet à consulter

Glossaire   94

Micromégas est publié pour la première fois à Londres en 1752. On sait aujourd'hui que Voltaire a rédigé en 1739 une version antérieure de ce texte, intitulée *Le Voyage du baron de Gangan*. Composé pour son ami le roi Frédéric II de Prusse et inspiré par la littérature de voyages imaginaires comme les *Voyages de Gulliver* de Jonathan Swift, ce bref récit retrace les pérégrinations d'un voyageur dans l'espace. Dans une lettre adressée à Frédéric II, Voltaire présentait cette œuvre comme une « fadaise philosophique qui ne doit être lue que comme on se délasse d'un travail sérieux ». Il souligne ainsi la double tonalité du texte, qui mêle à la légèreté et à la fantaisie de l'histoire des références scientifiques, philosophiques et littéraires.

Si l'on retrouve le thème du voyage imaginaire et le mélange des tonalités dans *Micromégas*, ce conte philosophique semble en revanche plus sérieux que sa précédente version. Le nom même du personnage – qui de Gangan est devenu Micromégas – traduit la notion de relativité mise en évidence par Voltaire dans son récit : ce géant est à la fois petit (*mikros* en grec) et grand (*megas* en grec). Habitant de l'étoile Sirius, il entreprend un voyage initiatique et visite les autres planètes. Ses rencontres et ses observations, au fil du voyage, permettent à Voltaire de démontrer la relativité des points de vue et de susciter une réflexion sur l'homme et sur sa place dans l'univers. Le conte fait également écho aux questionnements et aux découvertes de l'époque : le thème du voyage fait ainsi allusion aux nombreuses expédions menées au XVIIIe siècle, et notamment à celle qui a conduit Maupertuis, un savant proche de l'entourage de Voltaire, en Laponie en 1736-1737. Par ailleurs, les multiples références scientifiques rappellent les avancées techniques et la foi dans le progrès qui caractérisent le siècle des Lumières. Enfin, Voltaire aborde dans son conte les grands débats religieux, sociaux et politiques de l'époque. Par la voix malicieuse et ironique de son narrateur, il critique ainsi la superstition, l'obscurantisme, la censure, la guerre et les abus de pouvoir, cibles privilégiées des philosophes des Lumières.

Si *Micromégas* est bien un texte ancré dans son temps, sa portée philosophique en fait une œuvre universelle, qui s'adresse autant aux lecteurs du XVIIIe siècle qu'à ceux d'aujourd'hui.

Les débats sur la connaissance, la relativité des points de vue ou la tolérance semblent en effet toujours d'actualité et les lecteurs contemporains trouveront au cœur de ce conte fantaisiste une belle leçon de sagesse et d'humilité.

Chapitre 1

Voyage d'un habitant du monde de l'étoile Sirius dans la planète de Saturne

Dans une de ces planètes qui tournent autour de l'étoile nommée Sirius[1], il y avait un jeune homme de beaucoup d'esprit[2], que j'ai eu l'honneur de connaître dans le dernier voyage qu'il fit sur notre petite fourmilière[3]; il s'appelait Micromégas, nom
5 qui convient fort à tous les grands[4]. Il avait huit lieues de haut : j'entends, par huit lieues, vingt-quatre mille pas géométriques de cinq pieds[5] chacun.

Quelques algébristes[6], gens toujours utiles au public, prendront sur-le-champ la plume, et trouveront que, puisque M. Micromégas,
10 habitant du pays de Sirius, a de la tête aux pieds vingt-quatre mille pas, qui font cent vingt mille pieds de roi, et que nous autres, citoyens de la Terre, nous n'avons guère que cinq pieds, et que notre globe a neuf mille lieues de tour ; ils trouveront, dis-je, qu'il faut absolument que le globe qui l'a produit ait au juste vingt et
15 un millions six cent mille fois plus de circonférence que notre

---

1. Sirius : étoile de la constellation du Grand Chien. Dans le langage courant, l'expression « voir du point de vue de Sirius » signifie « voir les choses de haut, à distance ».
2. De beaucoup d'esprit : ayant beaucoup d'esprit, c'est-à-dire de finesse.
3. Allusion à la Terre.
4. Le nom du personnage est formé à partir de deux racines grecques : *mikros*, qui signifie « petit », et *megas*, qui signifie « grand ».
5. Lieues, pas, pieds : anciennes unités de mesure (1 lieue équivaut à 4 km, 1 pas à 75 cm et 1 pied à 30 cm environ ; le pied de roi est légèrement plus long).
6. Algébristes : mathématiciens spécialisés dans les calculs de grandeurs.

petite Terre. Rien n'est plus simple et plus ordinaire dans la nature. Les États de quelques souverains d'Allemagne ou d'Italie, dont on peut faire le tour en une demi-heure, comparés à l'empire de Turquie, de Moscovie[1] ou de la Chine, ne sont qu'une très faible image des prodigieuses différences que la nature a mises dans tous les êtres.

La taille de Son Excellence[2] étant de la hauteur que j'ai dite, tous nos sculpteurs et tous nos peintres conviendront sans peine que sa ceinture peut avoir cinquante mille pieds de roi de tour; ce qui fait une très jolie proportion.

Quant à son esprit, c'est un des plus cultivés que nous ayons; il sait beaucoup de choses, il en a inventé quelques-unes : il n'avait pas encore deux cent cinquante ans, et il étudiait, selon la coutume, au collège des jésuites[3] de sa planète, lorsqu'il devina, par la force de son esprit, plus de cinquante propositions d'Euclide[4]. C'est dix-huit de plus que Blaise Pascal[5], lequel, après en avoir deviné trente-deux en se jouant[6], à ce que dit sa sœur, devint depuis un géomètre assez médiocre et un fort mauvais métaphysicien[7]. Vers les quatre cent cinquante ans, au sortir de l'enfance, il disséqua beaucoup de ces petits insectes qui n'ont pas cent pieds de diamètre, et qui se dérobent aux microscopes ordinaires; il en composa un livre fort curieux, mais qui lui fit quelques affaires[8]. Le muphti[9]

---

1. Moscovie : Russie.
2. Son Excellence : titre honorifique donné aux ambassadeurs, et qui désigne ici Micromégas.
3. Jésuites : religieux membres de la Compagnie de Jésus (fondée en 1534) et chargés, jusqu'au XVIIIᵉ siècle, de l'enseignement dans les établissements catholiques.
4. Euclide (IIIᵉ s. av. J.-C.) : mathématicien grec qui a établi des propositions, c'est-à-dire des énoncés destinés à être démontrés ou réfutés.
5. Blaise Pascal (1623-1662) : homme de lettres et savant français. Voltaire s'est attaqué à certaines de ses idées sur l'homme et sur la religion dans ses *Lettres philosophiques* (1734).
6. En se jouant : en jouant, pour s'amuser.
7. Métaphysicien : personne qui étudie ce qui dépasse le monde physique et n'est pas fondé sur des preuves concrètes (comme l'origine et le sens du monde).
8. Affaires : ennuis.
9. Muphti : religieux chargé d'interpréter la loi musulmane.

de son pays, grand vétillard[1] et fort ignorant, trouva dans son livre des propositions suspectes, malsonnantes, téméraires[2], hérétiques, sentant l'hérésie[3], et le poursuivit vivement : il s'agissait de savoir si la forme substantielle[4] des puces de Sirius était de même nature que celle des colimaçons[5]. Micromégas se défendit avec esprit ; il mit les femmes de son côté ; le procès dura deux cent vingt ans. Enfin le muphti fit condamner le livre par des jurisconsultes[6] qui ne l'avaient pas lu, et l'auteur eut ordre de ne paraître à la cour de huit cents années.

Il ne fut que médiocrement[7] affligé d'être banni d'une cour qui n'était remplie que de tracasseries et de petitesses. Il fit une chanson fort plaisante contre le muphti, dont celui-ci ne s'embarrassa guère ; et il se mit à voyager de planète en planète, pour achever de se former *l'esprit et le cœur*[8], comme l'on dit. Ceux qui ne voyagent qu'en chaise de poste ou en berline[9] seront sans doute étonnés des équipages de là-haut : car nous autres, sur notre petit tas de boue, nous ne concevons rien au-delà de nos usages. Notre voyageur connaissait merveilleusement les lois de la gravitation[10], et toutes les forces attractives et répulsives. Il s'en servait si à propos[11] que, tantôt à l'aide d'un rayon du Soleil, tantôt par la commodité d'une comète, il allait de globe en globe, lui et les siens, comme un oiseau voltige de branche en branche. Il parcourut la voie lactée

---

1. Vétillard : qui s'attache excessivement aux détails.
2. Malsonnantes : choquantes ; **téméraires** : trop osées au regard de la doctrine admise, ici religieuse.
3. Hérésie : pensée ou doctrine qui diffère de celle de l'Église catholique.
4. Substantielle : liée à l'essence de chaque être.
5. Colimaçons : escargots.
6. Jurisconsultes : personnes spécialisées dans la science du droit et des lois.
7. Médiocrement : peu.
8. Allusion à un ouvrage de Charles Rollin (1661-1741) en vogue à l'époque, *De la manière d'enseigner les belles-lettres, par rapport à l'esprit et au cœur* (1726-1728).
9. Chaise de poste, berline : voitures tirées par des chevaux. La poste était un système de relais de chevaux lors d'étapes le long d'une grande route.
10. Lois de la gravitation : lois physiques qui impliquent que les planètes exercent une force d'attraction les unes sur les autres et décrivent des orbites.
11. Si à propos : avec tant d'habileté.

60 en peu de temps ; et je suis obligé d'avouer qu'il ne vit jamais, à travers les étoiles dont elle est semée, ce beau ciel empyrée[1] que l'illustre vicaire Derham[2] se vante d'avoir vu au bout de sa lunette. Ce n'est pas que je prétende que M. Derham ait mal vu, à Dieu ne plaise ! mais Micromégas était sur les lieux, c'est un bon observa-

65 teur, et je ne veux contredire personne. Micromégas, après avoir bien tourné, arriva dans le globe de Saturne. Quelque accoutumé qu'il fût à voir des choses nouvelles, il ne put d'abord, en voyant la petitesse du globe et de ses habitants, se défendre de ce sourire de supériorité qui échappe quelquefois aux plus sages. Car enfin

70 Saturne n'est guère que neuf cents fois plus gros que la Terre, et les citoyens de ce pays-là sont des nains qui n'ont que mille toises[3] de haut ou environ. Il s'en moqua un peu d'abord avec ses gens[4], à peu près comme un musicien italien se met à rire de la musique de Lulli[5], quand il vient en France. Mais, comme le Sirien[6] avait un

75 bon esprit, il comprit bien vite qu'un être pensant peut fort bien n'être pas ridicule pour n'avoir que six mille pieds de haut. Il se familiarisa avec les Saturniens, après les avoir étonnés. Il lia une étroite amitié avec le secrétaire de l'Académie de Saturne, homme de beaucoup d'esprit, qui n'avait à la vérité rien inventé, mais qui

80 rendait un fort bon compte des[7] inventions des autres, et qui faisait passablement de petits vers et de grands calculs. Je rapporterai ici, pour la satisfaction des lecteurs, une conversation singulière que Micromégas eut un jour avec Monsieur le secrétaire[8].

---

1. Empyrée : dans l'Antiquité, nom qu'on donnait à la partie du ciel la plus élevée.
2. Vicaire : religieux chrétien qui seconde le prêtre ; **Guillaume Derham** (1657-1735) : savant anglais qui a prétendu avoir observé le paradis à l'aide de sa lunette astronomique, ce dont Voltaire se moque.
3. Toises : anciennes unités de mesure (1 toise équivaut à environ 2 mètres).
4. Gens : domestiques.
5. Jean-Baptiste Lulli (1632-1687) : musicien italien au service du roi Louis XIV (1638-1715).
6. Sirien : habitant de Sirius.
7. Rendait un fort bon compte de : racontait avec talent.
8. Personnage inspiré de Bernard de Fontenelle (1657-1757) secrétaire perpétuel de l'Académie des sciences, fondée en 1666.

Conversation de l'habitant de Sirius avec celui de Saturne

Après que Son Excellence se fut couchée, et que le secrétaire se fut approché de son visage :

« Il faut avouer, dit Micromégas, que la nature est bien variée.

– Oui, dit le Saturnien, la nature est comme un parterre[1] dont
5   les fleurs…

– Ah ! dit l'autre, laissez là votre parterre.

– Elle est, reprit le secrétaire, comme une assemblée de blondes et de brunes dont les parures…

– Et qu'ai-je affaire de vos brunes ? dit l'autre.

10   – Elle est donc comme une galerie de peintures dont les traits…

– Eh non ! dit le voyageur, encore une fois la nature est comme la nature. Pourquoi lui chercher des comparaisons ?

– Pour vous plaire, répondit le secrétaire.

– Je ne veux point qu'on me plaise, répondit le voyageur, je veux
15   qu'on m'instruise ; commencez d'abord par me dire combien les hommes de votre globe ont de sens.

– Nous en avons soixante et douze, dit l'académicien ; et nous nous plaignons tous les jours du peu. Notre imagination va au-delà de nos besoins ; nous trouvons qu'avec nos soixante et douze sens,

---

1. **Parterre** : plate-bande plantée de fleurs.

20 notre anneau[1], nos cinq lunes[2], nous sommes trop bornés[3] ; et, malgré toute notre curiosité et le nombre assez grand de passions qui résultent de nos soixante et douze sens, nous avons tout le temps de nous ennuyer.

– Je le crois bien, dit Micromégas ; car dans notre globe nous
25 avons près de mille sens, et il nous reste encore je ne sais quel désir vague, je ne sais quelle inquiétude[4], qui nous avertit sans cesse que nous sommes peu de chose, et qu'il y a des êtres beaucoup plus parfaits. J'ai un peu voyagé ; j'ai vu des mortels fort au-dessous de nous ; j'en ai vu de fort supérieurs ; mais je n'en ai vu aucuns[5] qui
30 n'aient plus de désirs que de vrais besoins, et plus de besoins que de satisfaction. J'arriverai peut-être un jour au pays où il ne manque rien ; mais jusqu'à présent personne ne m'a donné de nouvelles positives de ce pays-là. »

Le Saturnien et le Sirien s'épuisèrent alors en conjectures[6] ; mais,
35 après beaucoup de raisonnements, fort ingénieux et fort incertains, il en fallut revenir aux faits.

« Combien de temps vivez-vous ? dit le Sirien.

– Ah ! bien peu, répliqua le petit homme de Saturne.

– C'est tout comme chez nous, dit le Sirien : nous nous plaignons
40 toujours du peu. Il faut que ce soit[7] une loi universelle de la nature.

– Hélas ! nous ne vivons, dit le Saturnien, que cinq cents grandes révolutions[8] du Soleil. (Cela revient à quinze mille ans ou environ, à compter à notre manière.) Vous voyez bien que c'est mourir presque au moment que l'on est né ; notre existence est un point, notre

---

1. **Anneau** : ensemble de poussières et de glace en orbite autour de Saturne, formant comme un disque.
2. **Lunes** : satellites naturels en orbite autour de Saturne.
3. **Bornés** : limités.
4. **Inquiétude** : préoccupation, interrogation.
5. **Aucuns** : orthographe correcte au xviiie siècle.
6. **Conjectures** : hypothèses, suppositions.
7. **Il faut que ce soit** : cela doit être, c'est probablement.
8. **Révolutions** : mouvements qu'effectue un satellite en orbite autour d'un astre, et qui le font revenir à son point de départ.

45 durée un instant, notre globe un atome[1]. À peine a-t-on commencé
à s'instruire un peu que la mort arrive avant qu'on ait de l'expérience. Pour moi, je n'ose faire aucuns projets ; je me trouve comme
une goutte d'eau dans un océan immense. Je suis honteux, surtout
devant vous, de la figure ridicule que je fais[2] dans ce monde. »

50 Micromégas lui repartit[3] :

« Si vous n'étiez pas philosophe[4], je craindrais de vous affliger
en vous apprenant que notre vie est sept cents fois plus longue que
la vôtre ; mais vous savez trop bien que quand il faut rendre son
corps aux éléments, et ranimer la nature sous une autre forme,

55 ce qui s'appelle mourir ; quand ce moment de métamorphose est *mortel*
venu, avoir vécu une éternité ou avoir vécu un jour, c'est précisé-
ment la même chose. J'ai été dans des pays où l'on vit mille fois
plus longtemps que chez moi, et j'ai trouvé qu'on y murmurait[5] *relatif*
encore. Mais il y a partout des gens de bon sens qui savent prendre

60 leur parti[6] et remercier l'auteur de la nature. Il a répandu sur cet
univers une profusion de variétés, avec une espèce d'uniformité
admirable. Par exemple, tous les êtres pensants sont différents, et
tous se ressemblent au fond par le don de la pensée et des désirs.
La matière est partout étendue ; mais elle a dans chaque globe

65 des propriétés diverses. Combien comptez-vous de ces propriétés
diverses dans votre matière ?

– Si vous parlez de ces propriétés, dit le Saturnien, sans lesquelles
nous croyons que ce globe ne pourrait subsister tel qu'il est, nous
en comptons trois cents, comme l'étendue, l'impénétrabilité, la

70 mobilité, la gravitation, la divisibilité, et le reste.

---

1. **Atome** : particule considérée au XVIIIe siècle comme infiniment petite.
2. **Figure [...] que je fais** : ici, situation dans laquelle je suis.
3. **Repartit** : répondit.
4. **Philosophe** : personne qui cherche à atteindre la sagesse et la connaissance en étudiant les grands principes de l'existence.
5. **Qu'on y murmurait** : qu'on s'y plaignait.
6. **Prendre leur parti** : se contenter de ce qu'ils ont.

– Apparemment, répliqua le voyageur, que ce petit nombre suffit aux vues que le Créateur[1] avait sur votre petite habitation. J'admire en tout sa sagesse ; je vois partout des différences, mais aussi partout des proportions. Votre globe est petit, vos habitants le sont aussi ;
75 vous avez peu de sensations[2] ; votre matière a peu de propriétés : tout cela est l'ouvrage de la Providence[3]. De quelle couleur est votre soleil, bien examiné ?

– D'un blanc fort jaunâtre, dit le Saturnien ; et quand nous divisons un de ses rayons, nous trouvons qu'il contient sept couleurs.
80 – Notre soleil tire sur le rouge, dit le Sirien, et nous avons trente-neuf couleurs primitives[4]. Il n'y a pas un soleil, parmi tous ceux dont j'ai approché, qui se ressemble, comme chez vous il n'y a pas un visage qui ne soit différent de tous les autres. »

Après plusieurs questions de cette nature, il s'informa combien de
85 substances essentiellement différentes on comptait dans Saturne. Il apprit qu'on n'en comptait qu'une trentaine, comme Dieu, l'espace, la matière, les êtres étendus qui sentent[5], les êtres étendus qui sentent et qui pensent, les êtres pensants qui n'ont point d'étendue, ceux qui se pénètrent[6], ceux qui ne se pénètrent pas, et le reste. Le Sirien,
90 chez qui on en comptait trois cents, et qui en avait découvert trois mille autres dans ses voyages, étonna prodigieusement le philosophe de Saturne. Enfin, après s'être communiqué l'un à l'autre un peu de ce qu'ils savaient et beaucoup de ce qu'ils ne savaient pas, après avoir raisonné pendant une révolution du Soleil, ils résolurent de
95 faire ensemble un petit voyage philosophique[7].

---

1. **Le Créateur** : Dieu.
2. **Sensations** : perceptions issues des différents sens.
3. **Providence** : sagesse de Dieu.
4. **Primitives** : primaires.
5. **Qui sentent** : qui ont des sensations, des perceptions sensorielles.
6. **Se pénètrent** : ont la capacité de réfléchir sur eux-mêmes.
7. **Philosophique** : ici, qui a pour objet la découverte de nouvelles connaissances.

Voyage de deux habitants de Sirius et de Saturne

Nos deux philosophes étaient prêts à s'embarquer dans l'atmosphère de Saturne, avec une fort jolie provision d'instruments mathématiques, lorsque la maîtresse du Saturnien, qui en eut des nouvelles, vint en larmes faire ses remontrances. C'était une jolie petite brune qui n'avait que six cent soixante toises, mais qui réparait par bien des agréments[1] la petitesse de sa taille.

«Ah, cruel! s'écria-t-elle, après t'avoir résisté quinze cents ans, lorsque enfin je commençais à me rendre[2], quand j'ai à peine passé deux cents ans entre tes bras, tu me quittes pour aller voyager avec un géant d'un autre monde; va, tu n'es qu'un curieux, tu n'as jamais eu d'amour; si tu étais un vrai Saturnien, tu serais fidèle. Où vas-tu courir? Que veux-tu? Nos cinq lunes sont moins errantes[3] que toi, notre anneau est moins changeant. Voilà qui est fait, je n'aimerai jamais plus personne.»

Le philosophe l'embrassa, pleura avec elle, tout philosophe qu'il était, et la dame, après s'être pâmée[4], alla se consoler avec un petit-maître[5] du pays.

---

1. **Agréments**: traits agréables.
2. **Me rendre**: me laisser séduire, céder à tes avances.
3. **Errantes**: inconstantes, instables.
4. **Pâmée**: évanouie.
5. **Petit-maître**: séducteur prétentieux.

Cependant nos deux curieux partirent; ils sautèrent d'abord sur l'anneau, qu'ils trouvèrent assez plat, comme l'a fort bien deviné
20 un illustre habitant[1] de notre petit globe; de là ils allèrent aisément de lune en lune. Une comète passait tout auprès de la dernière; ils s'élancèrent sur elle avec leurs domestiques et leurs instruments. Quand ils eurent fait environ cent cinquante millions de lieues, ils rencontrèrent les satellites de Jupiter. Ils passèrent dans Jupiter
25 même, et y restèrent une année, pendant laquelle ils apprirent de fort beaux secrets, qui seraient actuellement sous presse sans messieurs les inquisiteurs[2], qui ont trouvé quelques propositions un peu dures. Mais j'en ai lu le manuscrit dans la bibliothèque de l'illustre archevêque de…, qui m'a laissé voir ses livres avec cette
30 générosité et cette bonté qu'on ne saurait assez louer.

Mais revenons à nos voyageurs. En sortant de Jupiter, ils traversèrent un espace d'environ cent millions de lieues, et ils côtoyèrent[3] la planète de Mars, qui, comme on sait, est cinq fois plus petite que notre petit globe; ils virent deux lunes qui servent à cette planète, et
35 qui ont échappé aux regards de nos astronomes. Je sais bien que le père Castel[4] écrira, et même assez plaisamment, contre l'existence de ces deux lunes; mais je m'en rapporte à ceux qui raisonnent par analogie[5]. Ces bons philosophes-là savent combien il serait difficile que Mars, qui est si loin du Soleil, se passât à moins de deux lunes.
40 Quoi qu'il en soit, nos gens trouvèrent cela si petit qu'ils craignirent de n'y pas trouver de quoi coucher, et ils passèrent leur chemin, comme deux voyageurs qui dédaignent un mauvais cabaret[6] de village et poussent jusqu'à la ville voisine. Mais le Sirien et son

---

1. Allusion au physicien hollandais Christian Huygens (1629-1695) qui a découvert les anneaux de Saturne.
2. Inquisiteurs: juges des tribunaux de l'Inquisition, créés en 1231 pour lutter contre ceux qui ne respectaient pas les principes de la religion catholique. Certains textes scientifiques ont été censurés car jugés contraires aux dogmes de l'Église.
3. Côtoyèrent: passèrent près de.
4. Louis Bertrand Castel (1688-1757): prêtre jésuite qui s'est opposé à la théorie de la gravitation universelle d'Isaac Newton (1642-1727).
5. Par analogie: par comparaison, en se fondant sur des similitudes.
6. Cabaret: auberge.

compagnon se repentirent bientôt. Ils allèrent longtemps, et ne
45   trouvèrent rien. Enfin ils aperçurent une petite lueur ; c'était la
Terre : cela fit pitié à des gens qui venaient de Jupiter. Cependant,
de peur de se repentir une seconde fois, ils résolurent de débarquer.
Ils passèrent sur la queue de la comète et, trouvant une aurore
boréale[1] toute prête, ils se mirent dedans, et arrivèrent à terre sur
50   le bord septentrional[2] de la mer Baltique[3], le cinq juillet mil sept
cent trente-sept, nouveau style[4].

---

1. Aurore boréale : phénomène lumineux observable au pôle Nord.
2. Septentrional : du côté Nord.
3. Mer Baltique : mer située au nord de l'Europe, séparant les pays scandinaves et
les pays baltes.
4. Nouveau style : du calendrier grégorien, adopté après la réforme du calendrier
par le pape Grégoire XIII en 1582.

Pour comprendre l'essentiel

Une parodie de conte

1 Le début du chapitre 1 présente le cadre du récit. En vous appuyant sur les indications de lieux, les temps verbaux, les formules traditionnelles, montrez que le narrateur plonge le lecteur dans un conte qui se déroule au cœur de l'espace.

2 La fiction est parcourue de références réelles qui font de ce conte une parodie destinée à faire réfléchir le lecteur. Dans les chapitres 1 et 3, relevez les correspondances entre la vie sur Sirius ou Saturne et la société française du XVIIIe siècle (personnalités, institutions).

3 Le narrateur ne cherche pas à s'effacer mais participe au contraire à la tonalité comique du texte. Prouvez-le en citant son adresse au lecteur, en étudiant les pronoms personnels dans ses commentaires, en relevant quelques passages dans lesquels il fait preuve d'ironie.

Des personnages opposés aux centres d'intérêt communs

4 Dans le chapitre 2, Micromégas engage une conversation avec le secrétaire de l'Académie des sciences de Saturne. En étudiant leurs propos et les types de phrase qu'ils emploient, caractérisez la relation qui s'établit entre les deux protagonistes.

5 Le «nain» est un personnage caricatural qui n'a pas la sagesse de Micromégas. En vous appuyant sur le chapitre 2, dressez le portrait moral du Saturnien et comparez son attitude avec celle du Sirien.

6 La conversation entre le Saturnien et Micromégas fait écho aux réflexions en vogue à l'époque de Voltaire. Dans le chapitre 2, relevez le champ lexical du raisonnement et les passages dans lesquels les deux personnages abordent des questions philosophiques.

Un voyage philosophique

7 À la fin du chapitre 2, le Sirien et le Saturnien décident d'accomplir un «voyage philosophique» (p. 14). En vous appuyant sur le texte, expliquez quelles sont leurs motivations.

8 Au chapitre 3, Micromégas et le Saturnien commencent leur voyage philosophique. Relevez les étapes de leur périple et dites en quoi ce voyage peut leur apporter un enseignement.

✔ *Rappelez-vous !*

• Dans les premiers chapitres de *Micromégas*, le lecteur fait connaissance avec les personnages principaux et découvre qu'ils vont effectuer un **voyage initiatique**. Il s'agit d'un thème fréquent dans les contes traditionnels: un jeune héros effectue un périple au cours duquel il découvre le monde et vit des expériences nouvelles, ce qui le fait mûrir et lui apporte une forme de sagesse.

• *Micromégas* se présente d'emblée comme un **apologue**, un court récit plaisant qui a une portée argumentative. Voltaire utilise les ressorts du **conte philosophique** afin de remplir cette double fonction: divertir et faire réfléchir. Les personnages et les mœurs fantaisistes de la fiction correspondent à des réalités de la société française du XVIIIe siècle. L'argumentation est donc indirecte.

Vers l'oral du Bac

Analyse du chapitre 1, p. 7-10

→ *Montrer comment le premier chapitre remplit les fonctions d'un incipit*

🎤 *Conseils pour la lecture à voix haute*

– Ce chapitre comporte des phrases parfois longues. Appuyez-vous sur la ponctuation pour ménager des temps de pause.
– Faites sentir l'ironie du narrateur lorsque celui-ci se fait plus présent.
– Lisez le passage relatant le procès de Micromégas (l. 37-46) avec animation, de façon théâtrale.

📝 *Analyse du texte*

■ *Introduction rédigée*

L'incipit est le début d'un récit. Il doit contenir toutes les informations nécessaires à la compréhension de l'histoire, lancer l'intrigue et susciter l'intérêt du lecteur. *Micromégas* s'ouvre sur la présentation du cadre spatio-temporel du récit : l'action prend place entre étoiles et planètes, dans un univers qui évoque la science-fiction. Le ton employé rappelle celui des contes traditionnels. Cependant, très rapidement, l'ironie dont fait preuve le narrateur et les premières aventures des protagonistes donnent au texte sa veine satirique. Comment ce début de conte remplit-il les fonctions d'un incipit ? Après avoir étudié la façon dont ce chapitre amuse le lecteur par sa fantaisie, nous montrerons que le narrateur joue un rôle décisif quant à la portée satirique de l'œuvre. Enfin, nous verrons que cet incipit annonce la dimension philosophique du conte.

■ *Analyse guidée*

I. Un début de conte fantaisiste

a. Le récit se déroule dans un univers cosmique, à une époque indéterminée. En vous appuyant sur les repères spatio-temporels, montrez que ce cadre est fantaisiste.

b. Le chapitre 1 dresse le portrait de Micromégas. Relevez les informations données sur ce personnage et dites lesquelles de ses caractéristiques font de lui un personnage typique de conte et lesquelles tendent au contraire à l'en éloigner.

c. Les premières pages du récit doivent susciter la curiosité du lecteur. En vous appuyant sur l'emploi des temps verbaux et le rythme de la narration, mettez en évidence l'efficacité de cet incipit.

II. Un incipit satirique

a. Le bref récit du procès de Micromégas permet d'aborder la question de la censure. Montrez que le personnage du muphti est ridiculisé et dites en quoi cet exemple sert la critique des puissants.

b. Le narrateur se moque des savants. Dressez la liste de tous les personnages érudits qui sont les cibles de son ironie et dites quels défauts sont visés.

c. Malgré ses qualités intellectuelles et morales, Micromégas n'échappe pas au regard satirique du narrateur. Prouvez-le en commentant la fin de l'extrait (l. 66-76).

III. La portée philosophique annoncée

a. À travers le portrait du Sirien, le savoir est valorisé. Expliquez en quoi Micromégas incarne la figure du philosophe des Lumières.

b. Le thème de la connaissance, essentiel dans tout le récit, est introduit dès l'incipit. En vous appuyant sur le vocabulaire et les références scientifiques, montrez que ce début de conte entend faire réfléchir sur l'état des savoirs au XVIIIe siècle.

c. La portée critique du conte philosophique est sensible dès l'incipit : ces premières lignes visent certaines personnalités et instances de l'époque de Voltaire. Nommez-les et montrez que l'incipit mêle fiction et faits réels sur le mode de l'allusion (implicite) ou de la référence (explicite).

■ *Conclusion rédigée*

Le premier chapitre remplit les fonctions d'un incipit : les informations essentielles sont apportées au lecteur et la suite de l'intrigue est lancée. L'originalité de ces premières pages réside dans le cadre spatio-temporel fantaisiste, dans le caractère de ce héros intellectuel, mais aussi dans la présence de ce narrateur-conteur qui dynamise le récit. La tonalité satirique se fait entendre dès les premières lignes du récit, et s'affiche plus nettement avec le procès de Micromégas. La portée philosophique du conte est annoncée avec le départ de Micromégas pour un voyage interstellaire, voyage initiatique pour le Sirien mais aussi pour le lecteur. En effet, dans les chapitres suivants, le voyage des héros incite le lecteur à penser en même temps que les personnages, à faire évoluer, conjointement à eux, sa propre vision du monde, à former son esprit critique.

☁ *Les trois questions de l'examinateur*

Question 1. Lecture d'images Observez les documents reproduits en fin d'ouvrage, au verso de la couverture. Selon vous, pourquoi le voyage dans l'espace a-t-il toujours fasciné ? Quels points communs voyez-vous entre les œuvres de science-fiction et *Micromégas* ?

Question 2. En quoi peut-on dire que cet incipit développe une argumentation indirecte ? Connaissez-vous d'autres œuvres qui exploitent les procédés de l'argumentation indirecte ?

Question 3. Pensez-vous qu'un auteur s'inspire toujours de la réalité pour écrire ?

Ce qui leur arrive sur le globe de la Terre

Après s'être reposés quelque temps, ils mangèrent à leur déjeuner deux montagnes que leurs gens leur apprêtèrent assez proprement[1]. Ensuite ils voulurent reconnaître[2] le petit pays où ils étaient. Ils allèrent d'abord du Nord au Sud. Les pas ordinaires du Sirien
5 et de ses gens étaient d'environ trente mille pieds de roi; le nain de Saturne suivait de loin en haletant; or il fallait qu'il fît environ douze pas quand l'autre faisait une enjambée : figurez-vous (s'il est permis de faire de telles comparaisons) un très petit chien de manchon[3] qui suivrait un capitaine des gardes du roi de Prusse[4].
10 Comme ces étrangers-là vont assez vite, ils eurent fait le tour du globe en trente-six heures; le Soleil, à la vérité, ou plutôt la Terre, fait un pareil voyage en une journée; mais il faut songer qu'on va bien plus à son aise quand on tourne sur son axe que quand on marche sur ses pieds. Les voilà donc revenus d'où ils étaient partis,
15 après avoir vu cette mare, presque imperceptible pour eux, qu'on nomme *la Méditerranée*, et cet autre petit étang, qui, sous le nom

---

1. **Proprement** : avec adresse.
2. **Reconnaître** : explorer.
3. **Chien de manchon** : chien si petit qu'il peut tenir dans un manchon, une pièce de fourrure dans lequel les femmes glissaient leurs mains pour se protéger du froid.
4. **Prusse** : royaume formé en 1701, qui s'étendait du nord de l'Allemagne à l'ouest de la Russie actuelles. Les gardes prussiens étaient réputés être grands.

du *grand Océan*[1], entoure la taupinière[2]. Le nain n'en avait eu jamais qu'à mi-jambe, et à peine l'autre avait-il mouillé son talon. Ils firent tout ce qu'ils purent en allant et en revenant dessus et
20 dessous pour tâcher d'apercevoir si ce globe était habité ou non. Ils se baissèrent, ils se couchèrent, ils tâtèrent partout; mais, leurs yeux et leurs mains n'étant point proportionnés aux petits êtres qui rampent ici, ils ne reçurent pas la moindre sensation qui pût leur faire soupçonner que nous et nos confrères les autres habitants de
25 ce globe avons l'honneur d'exister.

Le nain, qui jugeait quelquefois un peu trop vite, décida d'abord qu'il n'y avait personne sur la Terre. Sa première raison était qu'il n'avait vu personne. Micromégas lui fit sentir poliment que c'était raisonner assez mal:

30 « Car, disait-il, vous ne voyez pas avec vos petits yeux certaines étoiles de la cinquantième grandeur que j'aperçois très distincte-ment; concluez-vous de là que ces étoiles n'existent pas?

– Mais, dit le nain, j'ai bien tâté.

– Mais, répondit l'autre, vous avez mal senti.

35 – Mais, dit le nain, ce globe-ci est si mal construit, cela est si irrégulier et d'une forme qui me paraît si ridicule! tout semble être ici dans le chaos: voyez-vous ces petits ruisseaux dont aucun ne va de droit fil[3], ces étangs qui ne sont ni ronds, ni carrés, ni ovales, ni sous aucune forme régulière; tous ces petits grains pointus dont
40 ce globe est hérissé, et qui m'ont écorché les pieds? (Il voulait parler des montagnes.) Remarquez-vous encore la forme de tout le globe, comme il est plat aux pôles, comme il tourne autour du Soleil d'une manière gauche, de façon que les climats des pôles sont nécessairement incultes[4]? En vérité, ce qui fait que je pense

---

1. **Grand Océan**: terme général désignant apparemment tous les océans du globe.
2. **Taupinière**: au sens propre, petit monticule de terre formé par une taupe lorsqu'elle creuse une galerie.
3. **De droit fil**: tout droit, de façon rectiligne.
4. **Incultes**: ici, impropres à la mise en culture.

45 qu'il n'y a ici personne, c'est qu'il me paraît que des gens de bon
sens ne voudraient pas y demeurer.

– Eh bien ! dit Micromégas, ce ne sont peut-être pas non plus
des gens de bon sens qui l'habitent. Mais enfin il y a quelque apparence que ceci n'est pas fait pour rien. Tout vous paraît irrégulier
50 ici, dites-vous, parce que tout est tiré au cordeau[1] dans Saturne et
dans Jupiter. Eh ! c'est peut-être par cette raison-là même qu'il y a
ici un peu de confusion. Ne vous ai-je pas dit que dans mes voyages
j'avais toujours remarqué de la variété ? »

Le Saturnien répliqua à toutes ces raisons. La dispute[2] n'eût
55 jamais fini, si par bonheur Micromégas, en s'échauffant à parler,
n'eût cassé le fil de son collier de diamants. Les diamants tombèrent:
c'étaient de jolis petits carats[3] assez inégaux, dont les plus gros
pesaient quatre cents livres, et les plus petits cinquante. Le nain en
ramassa quelques-uns ; il s'aperçut, en les approchant de ses yeux,
60 que ces diamants, de la façon dont ils étaient taillés, étaient d'excellents microscopes. Il prit donc un petit microscope de cent soixante
pieds de diamètre, qu'il appliqua à sa prunelle ; et Micromégas en
choisit un de deux mille cinq cents pieds. Ils étaient excellents ; mais
d'abord on ne vit rien par leur secours: il fallait s'ajuster[4]. Enfin
65 l'habitant de Saturne vit quelque chose d'imperceptible qui remuait
entre deux eaux dans la mer Baltique: c'était une baleine. Il la prit
avec le petit doigt fort adroitement, et, la mettant sur l'ongle de son
pouce, il la fit voir au Sirien, qui se mit à rire pour la seconde fois
de l'excès de petitesse dont étaient les habitants de notre globe. Le
70 Saturnien, convaincu que notre monde est habité, s'imagina bien
vite qu'il ne l'était que par des baleines ; et, comme il était grand
raisonneur, il voulut deviner d'où un si petit atome tirait son mouvement, s'il avait des idées, une volonté, une liberté. Micromégas y fut

---

1. **Tiré au cordeau**: ordonné, régulier (le cordeau est une petite corde dont on se
sert pour aligner des objets).
2. **Dispute**: débat.
3. **Carats**: ici, diamants.
4. **S'ajuster**: faire la mise au point, accommoder sa vision.

fort embarrassé : il examina l'animal fort patiemment, et le résultat
75 de l'examen fut qu'il n'y avait pas moyen de croire qu'une âme fût
logée là. Les deux voyageurs inclinaient donc à penser qu'il n'y a
point d'esprit dans notre habitation, lorsqu'à l'aide du microscope
ils aperçurent quelque chose de plus gros qu'une baleine qui flottait
sur la mer Baltique. On sait que dans ce temps-là même une volée[1]
80 de philosophes revenait du cercle polaire, sous lequel ils avaient
été faire des observations dont personne ne s'était avisé jusqu'alors.
Les gazettes[2] dirent que leur vaisseau échoua aux côtes de Botnie[3],
et qu'ils eurent bien de la peine à se sauver ; mais on ne sait jamais
dans ce monde le dessous des cartes. Je vais raconter ingénument[4]
85 comme la chose se passa, sans y rien mettre du mien, ce qui n'est
pas un petit effort pour un historien.

---

1. Une volée : un groupe (le mot désigne habituellement un groupe d'oiseaux en vol). Allusion à une expédition scientifique française menée en Laponie en 1736-1737 par Pierre Louis Moreau de Maupertuis (1698-1759), avec pour objectif de vérifier la théorie selon laquelle la Terre est aplatie aux pôles.
2. Gazettes : journaux.
3. Botnie : région scandinave située entre la Suède et la Finlande actuelles.
4. Ingénument : honnêtement, avec sincérité.

Chapitre 5

Expériences et raisonnements
des deux voyageurs

Micromégas étendit la main tout doucement vers l'endroit où l'objet paraissait, et, avançant deux doigts et les retirant par la crainte de se tromper, puis les ouvrant et les serrant, il saisit fort adroitement le vaisseau qui portait ces messieurs, et le mit encore sur son ongle,
5   sans le trop presser de peur de l'écraser.

«Voici un animal bien différent du premier», dit le nain de Saturne.

Le Sirien mit le prétendu animal dans le creux de sa main. Les passagers et les gens de l'équipage, qui s'étaient crus enlevés par un
10 ouragan, et qui se croyaient sur une espèce de rocher, se mettent tous en mouvement; les matelots prennent des tonneaux de vin, les jettent sur la main de Micromégas, et se précipitent après. Les géomètres prennent leurs quarts de cercle, leurs secteurs[1], et des filles lapones[2], et descendent sur les doigts du Sirien. Ils en firent
15 tant qu'il sentit enfin remuer quelque chose qui lui chatouillait les doigts: c'était un bâton ferré qu'on lui enfonçait d'un pied dans l'index; il jugea, par ce picotement, qu'il était sorti quelque chose du petit animal qu'il tenait. Mais il n'en soupçonna pas d'abord

---

1. Quarts de cercle, secteurs: instruments de géométrie destinés à mesurer les angles.
2. Lapones: habitantes de Laponie. Allusion à des femmes ramenées par Maupertuis lors de son expédition.

davantage. Le microscope, qui faisait à peine discerner une baleine
20 et un vaisseau, n'avait point de prise sur un être aussi imperceptible
que des hommes. Je ne prétends choquer ici la vanité de personne,
mais je suis obligé de prier les importants[1] de faire ici une petite
remarque avec moi : c'est qu'en prenant la taille des hommes d'environ cinq pieds, nous ne faisons pas sur la Terre une plus grande
25 figure qu'en ferait, sur une boule de dix pieds de tour, un animal
qui aurait à peu près la six cent millième partie d'un pouce en
hauteur. Figurez-vous une substance qui pourrait tenir la Terre dans
sa main, et qui aurait des organes en proportion des nôtres ; et il se
peut très bien faire qu'il y ait un grand nombre de ces substances :
30 or concevez, je vous prie, ce qu'elles penseraient de ces batailles,
qui nous ont valu deux villages qu'il a fallu rendre.

Je ne doute pas que si quelque capitaine des grands grenadiers[2]
lit jamais cet ouvrage, il ne hausse de deux grands pieds au moins
les bonnets de sa troupe ; mais je l'avertis qu'il aura beau faire, et
35 que lui et les siens ne seront jamais que des infiniment petits.

Quelle adresse merveilleuse ne fallut-il donc pas à notre philosophe de Sirius pour apercevoir les atomes dont je viens de parler !
Quand Leuwenhoek et Hartsoeker[3] virent les premiers, ou crurent
voir, la graine dont nous sommes formés, ils ne firent pas à beaucoup
40 près une si étonnante découverte. Quel plaisir sentit Micromégas
en voyant remuer ces petites machines, en examinant tous leurs
tours, en les suivant dans toutes leurs opérations ! comme il s'écria !
comme il mit avec joie un de ses microscopes dans les mains de son
compagnon de voyage !

45 « Je les vois, disaient-ils tous deux à la fois ; ne les voyez-vous pas
qui portent des fardeaux, qui se baissent, qui se relèvent ? »

---

1. Les importants : les vaniteux, ceux qui se croient importants.
2. Grenadiers : soldats qui lançaient des grenades. Allusion à la garde du roi
Frédéric II de Prusse (1712-1786), dont les membres portaient des bonnets à poil
particulièrement hauts.
3. Antonie Van Leuwenhoek (1632-1723), **Nicolas Hartsoeker** (1656-1725) :
savants hollandais ayant étudié les éléments microscopiques. Ils sont les premiers à
avoir observé les spermatozoïdes grâce à l'évolution du microscope.

En parlant ainsi, les mains leur tremblaient, par le plaisir de voir des objets si nouveaux et par la crainte de les perdre. Le Saturnien, passant d'un excès de défiance[1] à un excès de crédulité[2], crut apercevoir qu'ils travaillaient à la propagation[3]. *Ah! disait-il, j'ai pris la nature sur le fait.* Mais il se trompait sur les apparences, ce qui n'arrive que trop, soit qu'on se serve ou non de microscopes.

---

1. **Défiance**: méfiance.
2. **Crédulité**: naïveté, tendance à croire facilement des affirmations sans fondement.
3. **Propagation**: reproduction.

Ce qui leur arrive avec des hommes

Micromégas, bien meilleur observateur que son nain, vit clairement que les atomes se parlaient; et il le fit remarquer à son compagnon, qui, honteux de s'être mépris sur l'article de la génération[1], ne voulut point croire que de pareilles espèces pussent se
5   communiquer des idées. Il avait le don des langues, aussi bien que le Sirien; il n'entendait point parler nos atomes, et il supposait qu'ils ne parlaient pas. D'ailleurs, comment ces êtres imperceptibles auraient-ils les organes de la voix, et qu'auraient-ils à dire? Pour parler, il faut penser, ou à peu près; mais, s'ils pensaient, ils
10 auraient donc l'équivalent d'une âme[2]. Or, attribuer l'équivalent d'une âme à cette espèce, cela lui paraissait absurde.

« Mais, dit le Sirien, vous avez cru tout à l'heure qu'ils faisaient l'amour. Est-ce que vous croyez qu'on puisse faire l'amour sans penser et sans proférer quelque parole, ou du moins sans se faire
15 entendre? Supposez-vous d'ailleurs qu'il soit plus difficile de produire un argument qu'un enfant? Pour moi, l'un et l'autre me paraissent de grands mystères.

– Je n'ose plus ni croire ni nier, dit le nain; je n'ai plus d'opinion. Il faut tâcher d'examiner ces insectes, nous raisonnerons après.
20 – C'est fort bien dit », reprit Micromégas.

---

1. Sur l'article de la génération: au sujet de la reproduction.
2. Allusion à une formule célèbre du philosophe René Descartes (1596-1650) à propos de la conscience de soi-même: «je pense, donc je suis».

Et aussitôt il tira une paire de ciseaux dont il se coupa les ongles, et d'une rognure de l'ongle de son pouce il fit sur-le-champ une espèce de grande trompette parlante comme un vaste entonnoir, dont il mit le tuyau dans son oreille. La circonférence de l'enton-
25 noir enveloppait le vaisseau et tout l'équipage. La voix la plus faible entrait dans les fibres circulaires de l'ongle ; de sorte que grâce à son industrie[1] le philosophe de là-haut entendit parfaitement le bourdonnement de nos insectes de là-bas. En peu d'heures il parvint à distinguer les paroles, et enfin à entendre[2] le français. Le nain en
30 fit autant, quoique avec plus de difficulté. L'étonnement des voyageurs redoublait à chaque instant. Ils entendaient des mites[3] parler d'assez bon sens[4] : ce jeu de la nature leur paraissait inexplicable. Vous croyez bien que le Sirien et son nain brûlaient d'impatience de lier conversation avec les atomes : il craignait que sa voix de
35 tonnerre, et surtout celle de Micromégas, n'assourdît les mites sans en être entendue. Il fallait en diminuer la force. Ils se mirent dans la bouche des espèces de petits cure-dents, dont le bout fort effilé venait donner auprès[5] du vaisseau. Le Sirien tenait le nain sur ses genoux, et le vaisseau avec l'équipage sur un ongle. Il baissait la
40 tête et parlait bas. Enfin, moyennant toutes ces précautions et bien d'autres encore, il commença ainsi son discours :

« Insectes invisibles, que la main du Créateur s'est plu à faire naître dans l'abîme de l'infiniment petit, je le remercie de ce qu'il a daigné me découvrir des secrets qui semblaient impénétrables.
45 Peut-être ne daignerait-on pas vous regarder à ma cour ; mais je ne méprise personne, et je vous offre ma protection. »

Si jamais il y a eu quelqu'un d'étonné, ce furent les gens qui entendirent ces paroles. Ils ne pouvaient deviner d'où elles partaient.

---

1. **Industrie** : adresse, habileté.
2. **Entendre** : ici, comprendre.
3. **Mites** : insectes dont on pensait au XVIIIe siècle qu'ils étaient les plus petits qui existent.
4. **D'assez bon sens** : avec bon sens.
5. **Venait donner auprès** : allait jusqu'à, entrait en contact avec.

priest

L'aumônier[1] du vaisseau récita les prières des exorcismes[2], les mate-
50 lots jurèrent[3], et les philosophes du vaisseau firent un système[4] ;
mais, quelque système qu'ils fissent, ils ne purent jamais deviner
qui leur parlait. Le nain de Saturne, qui avait la voix plus douce
que Micromégas, leur apprit alors en peu de mots à quelles espèces
ils avaient affaire. Il leur conta le voyage de Saturne, les mit au fait
55 de ce qu'était M. Micromégas, et, après les avoir plaints d'être si
petits, il leur demanda s'ils avaient toujours été dans ce misérable
état si voisin de l'anéantissement, ce qu'ils faisaient dans un globe
qui paraissait appartenir à des baleines, s'ils étaient heureux, s'ils
multipliaient[5], s'ils avaient une âme, et cent autres questions de
60 cette nature.

Un raisonneur de la troupe, plus hardi[6] que les autres et choqué
de ce qu'on doutait de son âme, observa l'interlocuteur avec des
pinnules[7] braquées sur un quart de cercle, fit deux stations[8], et, à
la troisième, il parla ainsi :

65 « Vous croyez donc, monsieur, parce que vous avez mille toises
depuis la tête jusqu'aux pieds, que vous êtes un…

– Mille toises ! s'écria le nain. Juste ciel ! d'où peut-il savoir ma
hauteur ? mille toises ! Il ne se trompe pas d'un pouce. Quoi ! cet
atome m'a mesuré ! Il est géomètre, il connaît ma grandeur ; et
70 moi, qui ne le vois qu'à travers un microscope, je ne connais pas
encore la sienne !

– Oui, je vous ai mesuré, dit le physicien, et je mesurerai bien
encore votre grand compagnon. »

---

1. **Aumônier** : prêtre.
2. **Exorcismes** : prières destinées à repousser le diable ou les démons.
3. **Jurèrent** : crièrent des jurons.
4. **Firent un système** : élaborèrent un ensemble de principes dont on peut tirer des conséquences et une doctrine.
5. **S'ils multipliaient** : s'ils se multipliaient.
6. **Hardi** : audacieux, courageux.
7. **Pinnules** : parties d'un instrument de mesure.
8. **Stations** : haltes servant de point de référence pour prendre des mesures.

La proposition fut acceptée ; Son Excellence se coucha de son
long, car, s'il se fût tenu debout, sa tête eût été trop au-dessus des
nuages. Nos philosophes lui plantèrent un grand arbre dans un
endroit que le docteur Swift[1] nommerait, mais que je me garderai
bien d'appeler par son nom à cause de mon grand respect pour les
dames. Puis, par une suite de triangles liés ensemble, ils conclurent
que ce qu'ils voyaient était en effet un jeune homme de cent vingt
mille pieds de roi.

Alors Micromégas prononça ces paroles :

« Je vois plus que jamais qu'il ne faut juger de rien sur sa grandeur apparente. Ô Dieu, qui avez donné une intelligence à des
substances qui paraissent si méprisables, l'infiniment petit vous
coûte aussi peu que l'infiniment grand ; et, s'il est possible qu'il
y ait des êtres plus petits que ceux-ci, ils peuvent encore avoir un
esprit supérieur à ceux de ces superbes animaux que j'ai vus dans
le ciel, dont le pied seul couvrirait le globe où je suis descendu. »

Un des philosophes lui répondit qu'il pouvait en toute sûreté
croire qu'il est en effet des êtres intelligents beaucoup plus petits
que l'homme. Il lui conta, non pas tout ce que Virgile[2] a dit de
fabuleux sur les abeilles, mais ce que Swammerdam[3] a découvert, et
ce que Réaumur[4] a disséqué. Il lui apprit enfin qu'il y a des animaux
qui sont pour les abeilles ce que les abeilles sont pour l'homme,
ce que le Sirien lui-même était pour ces animaux si vastes dont il
parlait, et ce que ces grands animaux sont pour d'autres substances
devant lesquelles ils ne paraissent que comme des atomes. Peu à
peu la conversation devint intéressante, et Micromégas parla ainsi.

---

1. Jonathan Swift (1667-1745) : écrivain irlandais auteur des *Voyages de Gulliver*
(1735). Ce récit de voyage fictionnel joue sur la relativité des dimensions : le
personnage est confronté à des populations tantôt minuscules, tantôt géantes. C'est
l'une des sources d'inspiration de *Micromégas*.
2. Virgile (70-19 av. J.-C.) : poète latin qui a décrit la vie des abeilles dans les
Géorgiques.
3. Jan Swammerdam (1637-1680) : naturaliste hollandais qui a proposé un classe-
ment des insectes.
4. René Antoine de Réaumur (1683-1757) : physicien et naturaliste français.

Chapitre 7

Conversation avec les hommes

« Ô atomes intelligents, dans qui l'Être éternel[1] s'est plu à manifester son adresse et sa puissance, vous devez sans doute goûter des joies bien pures sur votre globe ; car, ayant si peu de matière et paraissant tout esprit, vous devez passer votre vie à aimer et à
5   penser, c'est la véritable vie des esprits. Je n'ai vu nulle part le vrai bonheur, mais il est ici sans doute. »

À ce discours, tous les philosophes secouèrent la tête ; et l'un d'eux, plus franc que les autres, avoua de bonne foi que, si l'on en excepte un petit nombre d'habitants fort peu considérés[2], tout le
10   reste est un assemblage de fous, de méchants et de malheureux.

« Nous avons plus de matière qu'il ne nous en faut, dit-il, pour faire beaucoup de mal, si le mal vient de la matière, et trop d'esprit, si le mal vient de l'esprit. Savez-vous bien, par exemple, qu'à l'heure que je vous parle[3] il y a cent mille fous de notre espèce, couverts
15   de chapeaux, qui tuent cent mille autres animaux couverts d'un turban, ou qui sont massacrés par eux[4], et que, presque par toute la Terre, c'est ainsi qu'on en use de temps immémorial[5] ? »

Le Sirien frémit et demanda quel pouvait être le sujet de ces horribles querelles entre de si chétifs[6] animaux.

---

1. **Être éternel** : Dieu.
2. Allusion aux philosophes, souvent méprisés par la société.
3. **Que je vous parle** : où je vous parle (tournure correcte au XVIIIe siècle).
4. Allusion à une guerre qui a opposé l'empire russe et l'Autriche à l'empire ottoman (dont les soldats portaient des turbans) de 1736 à 1739.
5. **De temps immémorial** : aussi loin que remonte la mémoire, depuis toujours.
6. **Chétifs** : fragiles.

pile of mud

20 « Il s'agit, dit le philosophe, de quelques tas de boue grands comme votre talon. Ce n'est pas qu'aucun de ces millions d'hommes qui se font égorger prétende un fétu sur[1] ces tas de boue. Il ne s'agit que de savoir s'il appartiendra à un certain homme qu'on nomme *Sultan* ou à un autre qu'on nomme, je ne sais pourquoi, *César*[2].

25 Ni l'un ni l'autre n'a jamais vu ni ne verra jamais le petit coin de Terre dont il s'agit, et presque aucun de ces animaux qui s'égorgent mutuellement n'a jamais vu l'animal pour lequel ils s'égorgent.

– Ah, malheureux ! s'écria le Sirien avec indignation, peut-on concevoir cet excès de rage forcenée[3] ? Il me prend envie de faire

30 trois pas, et d'écraser de trois coups de pied toute cette fourmilière d'assassins ridicules.

– Ne vous en donnez pas la peine, lui répondit-on ; ils travaillent assez à leur ruine. Sachez qu'au bout de dix ans il ne reste jamais la centième partie de ces misérables ; sachez que, quand

35 même ils n'auraient pas tiré l'épée, la faim, la fatigue ou l'intempérance[4] les emportent presque tous. D'ailleurs, ce n'est pas eux qu'il faut punir : ce sont ces barbares sédentaires[5] qui, du fond de leur cabinet[6], ordonnent, dans le temps de leur digestion, le massacre d'un million d'hommes, et qui ensuite en font remercier

40 Dieu solennellement. »

Le voyageur se sentait ému de pitié pour la petite race humaine, dans laquelle il découvrait de si étonnants contrastes.

« Puisque vous êtes du petit nombre des sages, dit-il à ces messieurs, et qu'apparemment vous ne tuez personne pour de l'argent,

45 dites-moi, je vous en prie, à quoi vous vous occupez.

– Nous disséquons des mouches, dit le philosophe, nous mesurons des lignes, nous assemblons des nombres, nous sommes d'accord

---

1. **Prétende un fétu sur** : désire s'approprier (un fétu est un brin de paille).
2. **Sultan** : souverain ottoman, c'est-à-dire turc ; **César** : titre donné aux empereurs.
3. **Forcenée** : acharnée.
4. **Intempérance** : excès, absence de mesure.
5. **Sédentaires** : ici, qui restent assis.
6. **Cabinet** : bureau.

sur deux ou trois points que nous entendons, et nous disputons sur deux ou trois mille que nous n'entendons pas. »

50 Il prit aussitôt fantaisie au Sirien et au Saturnien d'interroger ces atomes pensants pour savoir les choses dont ils convenaient[1].

« Combien comptez-vous, dit-il, de l'étoile de la Canicule à la grande étoile des Gémeaux[2] ? »

Ils répondirent tous à la fois :

55 « Trente-deux degrés et demi.

– Combien comptez-vous d'ici à la Lune ?

– Soixante demi-diamètres de la Terre en nombre rond.

– Combien pèse votre air ? »

Il croyait les attraper, mais tous lui dirent que l'air pèse environ
60 neuf cents fois moins qu'un pareil volume de l'eau la plus légère, et dix-neuf cents fois moins que l'or de ducat[3]. Le petit nain de Saturne, étonné de leurs réponses, fut tenté de prendre pour des sorciers ces mêmes gens auxquels il avait refusé une âme un quart d'heure auparavant.

65 Enfin Micromégas leur dit :

« Puisque vous savez si bien ce qui est hors de vous, sans doute vous savez encore mieux ce qui est en dedans. Dites-moi ce que c'est que votre âme, et comment vous formez vos idées. »

Les philosophes parlèrent tous à la fois comme auparavant ;
70 mais ils furent tous de différents avis. Le plus vieux citait Aristote, l'autre prononçait le nom de Descartes, celui-ci de Malebranche, cet autre de Leibniz, cet autre de Locke[4]. Un vieux péripatéticien[5] dit tout haut avec confiance :

---

1. **Dont ils convenaient** : sur lesquelles ils tombaient d'accord.
2. **Canicule** : constellation du Grand Chien ; **Gémeaux** : constellation du zodiaque.
3. **Or de ducat** : or constituant la monnaie des ducs de Venise.
4. **Aristote** (384-322 av. J.-C.) : philosophe grec ; **René Descartes** (1596-1650) : philosophe et mathématicien français ; **Nicolas Malebranche** (1638-1715) : philosophe et théologien français ; **Gottfried Wilhelm Leibniz** (1646-1716) : philosophe et juriste allemand dont Voltaire se moque dans *Candide* (1759) ; **John Locke** (1632-1704) : philosophe anglais précurseur du mouvement des Lumières.
5. **Péripatéticien** : disciple suivant la philosophie d'Aristote.

« L'âme est une entéléchie[1], et une raison par quoi elle a la
75 puissance d'être ce qu'elle est. C'est ce que déclare expressément
Aristote, page 633 de l'édition du Louvre : Εντελεχεια εστι[2], etc.

– Je n'entends pas trop bien le grec, dit le géant.

– Ni moi non plus, dit la mite philosophique.

– Pourquoi donc, reprit le Sirien, citez-vous un certain Aristote
80 en grec ?

– C'est, répliqua le savant, qu'il faut bien citer ce qu'on ne
comprend point du tout dans la langue qu'on entend le moins. »

Le cartésien[3] prit la parole, et dit :

« L'âme est un esprit pur, qui a reçu dans le ventre de sa mère
85 toutes les idées métaphysiques, et qui, en sortant de là, est obligée
d'aller à l'école, et d'apprendre tout de nouveau ce qu'elle a si bien
su et qu'elle ne saura plus.

– Ce n'était donc pas la peine, répondit l'animal de huit lieues,
que ton âme fût si savante dans le ventre de ta mère, pour être si
90 ignorante quand tu aurais de la barbe au menton. Mais qu'entends-
tu par esprit ?

– Que me demandez-vous là ? dit le raisonneur, je n'en ai point
d'idée : on dit que ce n'est pas de la matière.

– Mais sais-tu au moins ce que c'est que de la matière ?
95 – Très bien, répondit l'homme. Par exemple, cette pierre est
grise et d'une telle forme, elle a ses trois dimensions, elle est pesante
et divisible.

– Eh bien ! dit le Sirien, cette chose qui te paraît être divisible,
pesante et grise, me dirais-tu bien ce que c'est ? Tu vois quelques
100 attributs[4] ; mais le fond de la chose, le connais-tu ?

– Non, dit l'autre.

---

1. **Entéléchie** : essence particulière d'un être, qui le rend singulier et parfait.
2. *Entélécheia esti* : en grec ancien, « c'est une entéléchie, c'est une forme parfaite ». La référence à l'édition citée est exacte.
3. **Cartésien** : partisan de la philosophie de Descartes, selon lequel les idées sont innées, c'est-à-dire présentes dès la naissance et compréhensibles par tous.
4. **Attributs** : caractéristiques.

– Tu ne sais donc point ce que c'est que la matière. »

Alors M. Micromégas, adressant la parole à un autre sage qu'il tenait sur son pouce, lui demanda ce que c'était que son âme, et
105 ce qu'elle faisait.

«Rien du tout, répondit le philosophe malebranchiste[1]; c'est Dieu qui fait tout pour moi; je vois tout en lui, je fais tout en lui: c'est lui qui fait tout sans que je m'en mêle.

– Autant vaudrait ne pas être, reprit le sage de Sirius. Et toi,
110 mon ami, dit-il à un leibnizien[2] qui était là, qu'est-ce que ton âme?

– C'est, répondit le leibnizien, une aiguille qui montre les heures pendant que mon corps carillonne; ou bien, si vous voulez, c'est elle qui carillonne pendant que mon corps montre l'heure; ou bien mon âme est le miroir de l'univers, et mon corps est la bordure du
115 miroir: cela est clair[3]. »

Un petit partisan de Locke était là tout auprès; et quand on lui eut enfin adressé la parole:

«Je ne sais pas, dit-il, comment je pense, mais je sais que je n'ai jamais pensé qu'à l'occasion[4] de mes sens. Qu'il y ait des substances
120 immatérielles et intelligentes[5], c'est de quoi je ne doute pas; mais qu'il soit impossible à Dieu de communiquer la pensée à la matière, c'est de quoi je doute fort. Je révère[6] la puissance éternelle, il ne m'appartient pas de la borner[7]; je n'affirme rien, je me contente de croire qu'il y a plus de choses possibles qu'on ne pense. »

125 L'animal de Sirius sourit: il ne trouva pas celui-là le moins sage; et le nain de Saturne aurait embrassé le sectateur[8] de Locke, sans l'extrême disproportion. Mais il y avait là, par malheur, un petit

---

1. **Malebranchiste**: partisan de la pensée de Malebranche.
2. **Leibnizien**: partisan de la pensée de Leibniz.
3. Voltaire reprend des images utilisées par Leibniz pour s'en moquer.
4. **Qu'à l'occasion**: que par le moyen.
5. **Immatérielles et intelligentes**: qui ne sont pas observables, pas mesurables, à la manière de l'âme.
6. **Je révère**: je respecte profondément.
7. **De la borner**: d'en déterminer les limites.
8. **Sectateur**: disciple, partisan qui partage l'opinion d'un penseur.

animalcule en bonnet carré[1], qui coupa la parole à tous les ani-
malcules philosophes ; il dit qu'il savait tout le secret, que cela se
130 trouvait dans la *Somme* de saint Thomas[2] ; il regarda de haut en
bas les deux habitants célestes ; il leur soutint que leurs personnes,
leurs mondes, leurs soleils, leurs étoiles, tout était fait uniquement
pour l'homme. À ce discours, nos deux voyageurs se laissèrent aller
l'un sur l'autre en étouffant de ce rire inextinguible[3] qui, selon
135 Homère[4], est le partage des dieux ; leurs épaules et leurs ventres
allaient et venaient, et dans ces convulsions[5] le vaisseau, que le
Sirien avait sur son ongle, tomba dans une poche de la culotte[6] du
Saturnien. Ces deux bonnes gens le cherchèrent longtemps ; enfin
ils retrouvèrent l'équipage, et le rajustèrent[7] fort proprement. Le
140 Sirien reprit les petites mites ; il leur parla encore avec beaucoup
de bonté, quoiqu'il fût un peu fâché dans le fond du cœur de voir
que les infiniment petits eussent un orgueil presque infiniment
grand. Il leur promit de leur faire un beau livre de philosophie,
écrit fort menu[8] pour leur usage, et que dans ce livre ils verraient le
145 bout des choses[9]. Effectivement, il leur donna ce volume avant son
départ : on le porta à Paris, à l'Académie des sciences ; mais, quand
le secrétaire l'eut ouvert, il ne vit rien qu'un livre tout blanc : « Ah !
dit-il, je m'en étais bien douté. »

---

1. Animalcule : être microscopique ; **bonnet carré** : couvre-chef autrefois porté par
les docteurs en théologie de l'université parisienne de la Sorbonne.
2. Saint Thomas d'Aquin (1225-1274) : théologien italien qui, dans sa *Somme
théologique*, prétend que l'homme est le centre de l'univers.
3. Inextinguible : qu'on ne peut arrêter.
4. Homère (VIIIᵉ s. av. J.-C.) : poète grec, auteur supposé de l'*Iliade* et de l'*Odyssée*.
Dans l'*Iliade* (livre I), les dieux éclatent d'un rire bruyant en voyant la démarche
boiteuse d'Héphaïstos.
5. Convulsions : spasmes, soubresauts provoqués par le fou rire.
6. Culotte : sorte de pantalon s'arrêtant aux genoux, à la mode au XVIIIᵉ siècle.
7. Le rajustèrent : le remirent en place, en état.
8. Fort menu : très petit.
9. Le bout des choses : le fond des choses, la vérité sur toutes choses.

Arrêt sur lecture **2**

Pour comprendre l'essentiel

Une démarche scientifique

1 Le chapitre 4 montre les limites du raisonnement théorique et la nécessité de recourir à l'expérience pour fonder un savoir. Montrez-le en relevant le vocabulaire de l'apparence dans le dialogue et en commentant la péripétie qui interrompt celui-ci.

2 Les deux voyageurs, arrivés sur Terre, découvrent ses habitants. En étudiant le vocabulaire de l'observation et en analysant leurs discours (types de phrases, ton) dans les chapitres 5 et 6, montrez que Micromégas et le Saturnien adoptent l'attitude de scientifiques.

3 L'idée de relativité des points de vue est au cœur du conte. Mettez-le en évidence en relevant le vocabulaire mathématique et le lexique de la mesure dans les chapitres que vous venez de lire. Citez ensuite une phrase du chapitre 6 qui résume cette idée.

Une démarche philosophique

4 Au chapitre 4, les deux protagonistes sont en désaccord quant à leurs découvertes sur Terre. En vous appuyant sur les propos des personnages (types de phrase, syntaxe), montrez que le dialogue prend la forme d'un débat. Expliquez en quoi il est propice au raisonnement.

5 Au début du chapitre 6, les voyageurs cherchent à savoir si les Terriens possèdent une âme: le Saturnien exprime ses préjugés tandis que Micromégas raisonne de façon logique. Prouvez-le à l'aide du vocabulaire employé par le Saturnien et en reformulant les arguments de Micromégas.

6 Les Terriens semblent susciter l'admiration des voyageurs, qui les croient aptes au bonheur. En analysant l'échange entre Micromégas et les hommes (p. 34, l. 1-13), dites comment le Sirien définit le bonheur et quels obstacles empêchent les hommes de l'atteindre.

La satire de l'orgueil humain

7 Dans le chapitre 7 s'expriment tour à tour plusieurs philosophes qui exposent autant de systèmes de pensée. Comparez le traitement de ces différents personnages et dites quelle image le conte donne d'eux. Identifiez le seul philosophe qui échappe à la satire.

8 *Micromégas* critique l'orgueil des hommes, qui pensent être le centre de l'univers. Montrez-le en vous appuyant sur les commentaires du narrateur au chapitre 5 et sur le vocabulaire désignant les hommes dans les chapitres 6 et 7. Analysez ensuite la fonction du rire final (p. 39).

9 Le conte s'achève sur le symbole du livre blanc. Expliquez ce que Voltaire a pu vouloir suggérer par cette image en vous appuyant sur la critique de l'orgueil humain.

✔ *Rappelez-vous!*

• Micromégas et le Saturnien découvrent la Terre et ses habitants. La notion de **relativité** est introduite par le biais du regard neuf qu'ils portent sur ces objets qu'ils ne connaissent pas: tout est une question de référentiel, ce qui est géant pour l'un peut paraître microscopique pour l'autre, tout jugement est subjectif. Ce **procédé de l'œil neuf** est souvent utilisé par les écrivains des Lumières. Il sert l'argumentation indirecte au travers d'une vision du monde prétendument objective.

• Au-delà de sa fonction divertissante, l'apologue a une **visée satirique**: il cherche à critiquer par la moquerie. Dans *Micromégas*, les phrases exclamatives, les interjections, le lexique des émotions, la surprise apparemment naïve des personnages ainsi que l'ironie dont fait preuve le narrateur traduisent le regard critique et satirique de l'auteur.

Vers l'oral du Bac

Analyse du chapitre 7, l. 1-70, p. 34-36

> → *Analyser la triple portée de cet extrait*

🎙 *Conseils pour la lecture à voix haute*

– Dans cet extrait, de nombreux personnages prennent la parole, il faut donc rendre compte des différentes voix qui s'expriment.
– Lisez les interventions du narrateur de manière à faire sentir son ironie.

📝 *Analyse du texte*

■ *Introduction rédigée*

Le chapitre 7 est l'épilogue du conte et clôt le voyage intersidéral de Micromégas et du Saturnien. Le titre du chapitre, «Conversation avec les hommes», annonce le fait que l'échange est placé au cœur de cette fin de récit. Micromégas et le Saturnien, pour parfaire leur découverte du monde, veulent connaître la nature des hommes, qui les ont impressionnés au chapitre 6. Dans cet extrait du chapitre 7, le lecteur assiste au dialogue entre Micromégas et les Terriens qui se trouvaient sur le navire saisi par Micromégas. Peu à peu, face aux réponses qui lui sont données, son sentiment d'admiration envers les hommes se change en pitié. Quel sens donner à cette déception ? Quelle image est donnée des hommes dans cet extrait ? Après avoir montré que cette conversation est didactique, nous mettrons en évidence sa fonction satirique au travers de la critique de la guerre et des puissants. Enfin, nous montrerons que cette conversation aboutit à une réflexion philosophique sur la connaissance humaine.

■ *Analyse guidée*

I. La portée didactique : une leçon sur la nature humaine

a. Micromégas idéalise les Terriens. En étudiant sa première réplique, montrez que son discours est élogieux (lexique mélioratif, hyperboles, intensifs) mais qu'il appelle aussi le débat (modalisateurs).

b. La réponse du philosophe est décevante. Caractérisez l'image qu'il donne de la nature humaine en illustrant votre propos par quelques citations. Nommez les différents défauts humains qu'il met en évidence.

c. Le philosophe joue le rôle d'un enseignant. En analysant les modes et temps verbaux et en étudiant les échanges entre les personnages, montrez qu'à travers cette conversation, il dispense un enseignement à Micromégas.

II. La portée satirique : une critique de la guerre et des puissants

a. Le philosophe illustre ses propos sur la nature humaine par l'exemple de la guerre. Dans ses répliques et dans celles de Micromégas, relevez les termes péjoratifs et les hyperboles exprimant la violence de la guerre.

b. D'après la démonstration du philosophe, la guerre est absurde : elle oppose des êtres semblables autour d'un enjeu dérisoire et dénué de sens. Montrez-le en analysant les propos du philosophe aux lignes 13 à 36 (images, parallélismes, syntaxe).

c. Bien qu'il critique la guerre, le philosophe n'accuse pas les soldats. Identifiez les vrais coupables selon lui. Résumez les reproches qui leur sont faits et montrez que la critique à leur sujet est extrêmement virulente.

III. La portée philosophique : une réflexion sur la connaissance humaine et ses limites

a. Micromégas est surpris par les « étonnants contrastes » (l. 42) chez les Terriens. Appuyez-vous sur la composition de l'extrait afin de mettre en évidence la principale contradiction humaine : le décalage entre l'intelligence dont sont dotés les hommes et leur comportement.

b. Le philosophe détaille les occupations des « sages » (l. 43). Expliquez la fonction que peut revêtir ce passage au sein du dialogue.

c. Le dialogue entre les voyageurs et les philosophes souligne l'opposition entre les savoirs qui relèvent des sciences et ceux qui relèvent de la métaphysique. Prouvez que ce texte invite à se placer plutôt du côté des sciences.

■ *Conclusion rédigée*

Le chapitre 7 constitue la fin du voyage initiatique des deux héros en quête de connaissances nouvelles. Cette conversation avec les Terriens se rattache au registre didactique dans la mesure où elle est l'occasion pour le philosophe d'adresser une leçon à Micromégas afin de le tirer de son erreur concernant la nature humaine. Le portrait qu'il brosse des hommes est particulièrement sombre. Face à cette démonstration, le Sirien et le Saturnien changent alors d'opinion sur les Terriens et conviennent que leur jugement était fondé sur les apparences. Pour asseoir sa démonstration, le philosophe prend l'exemple de la guerre, qu'il critique de manière particulièrement virulente. Micromégas et le Saturnien sont stupéfaits de constater autant de paradoxes dans la nature humaine, capable de maîtriser des techniques approfondies et de posséder des savoirs étonnants, mais aussi de se comporter de façon déraisonnable, insensée et violente. Ce questionnement sur l'usage du savoir témoigne de la portée philosophique du conte. Dans la suite de ce dialogue, Micromégas et le Saturnien le prolongent en interrogeant les hommes sur leur connaissance de leur âme. Cet échange annonce donc la fin du récit : le livre blanc invite à réfléchir sur les limites de la connaissance.

 Les trois questions de l'examinateur

Question 1. Pouvez-vous citer d'autres œuvres de Voltaire dans lesquelles il dénonce la guerre ?

Question 2. En quoi le recours au discours direct dans un récit vous paraît-il être efficace pour critiquer ?

Question 3. Lecture d'images Observez les documents reproduits en début d'ouvrage, au verso de la couverture. Montrez qu'ils donnent une vision différente de la science. À quels détails du récit chacune de ces œuvres fait-elle écho ?

Le tour de l'œuvre en 8 fiches

Sommaire

Voltaire en 20 dates

1694	Naissance de François-Marie Arouet à Paris.
1704-1711	Études littéraires au collège Louis-le-Grand à Paris, auprès de religieux jésuites.
1717	Emprisonnement à la Bastille pour des vers satiriques contre le régent Philippe d'Orléans.
1718	Choix du pseudonyme de Voltaire. Succès de la tragédie *Œdipe*.
1726	Querelle avec le chevalier de Rohan, nouvel emprisonnement à la Bastille puis exil en Angleterre.
1728	Publication à Londres du poème épique *La Henriade*, traitant des guerres de religion.
1733-1734	Liaison avec Mme du Châtelet. Publication des *Lettres philosophiques*: menace d'arrestation.
1740-1743	Mission diplomatique auprès du roi Frédéric II de Prusse.
1745	De retour à Paris, Voltaire devient historiographe du roi Louis XV.
1746	Élection à l'Académie française.
1748	Publication du conte philosophique *Zadig ou la Destinée*. Disgrâce à la cour de France.
1750	Départ pour la cour de Frédéric II, à Berlin.
1752	**Publication de *Micromégas* à Londres**. Querelle avec Frédéric II.
1753	Retour en France. Collaboration à l'*Encyclopédie*.
1759	Publication du conte philosophique *Candide ou l'Optimisme*, immense succès.
1760	Installation à Ferney, à la frontière franco-suisse. Voltaire y reçoit des visiteurs de l'Europe entière.
1762	Engagement dans l'affaire Calas: Voltaire prend la défense d'un protestant accusé du meurtre de son fils. Jean Calas est exécuté malgré l'absence de preuves.
1763	Publication du *Traité sur la tolérance*.
1764	Publication du *Dictionnaire philosophique portatif*.
1778	Retour à Paris après vingt-huit ans d'exil et de voyages. Voltaire meurt le 30 mai.

L'œuvre dans son contexte

Un siècle de déclin et d'instabilité

Louis XV n'a que cinq ans à la mort de Louis XIV en 1715. Le pouvoir est donc confié à Philippe d'Orléans. Durant sa **Régence (1715-1723)**, il tente d'assouplir le système politique et économique mis en place jusqu'alors par Louis XIV.

À partir de 1723, Louis XV exerce lui-même le pouvoir. La monarchie, qui a perdu de son rayonnement, est encore affaiblie par la tentative d'assassinat du roi par Damiens (1757). La France s'enlise dans plusieurs conflits de 1733 à 1763 (guerre de Succession d'Autriche, guerre de Sept Ans) et perd deux colonies importantes, l'Inde et le Canada. La Grande-Bretagne devient la première puissance européenne, la Prusse accroît son empire.

À sa mort, en 1774, Louis XV laisse un pays affaibli à son petit-fils, Louis XVI. Ce dernier s'engage alors dans des réformes, mais la noblesse proteste et le pays est en proie à l'instabilité économique. En 1789, la Révolution française met fin à la société d'Ancien Régime, fondée sur les privilèges.

Un siècle de Lumières

La littérature des Lumières est marquée par la contestation : les philosophes critiquent le pouvoir, les inégalités sociales, l'intolérance, l'injustice. **Pour ne pas risquer la censure de ces propos subversifs, les auteurs font imprimer leurs œuvres à l'étranger ou de façon clandestine en France**. Ainsi, Montesquieu publie *De l'esprit des lois* (1748) anonymement en Hollande ; le conte philosophique *Candide* (1759) de Voltaire est diffusé depuis Genève. **Les écrivains utilisent aussi des détours argumentatifs pour ne pas risquer des représailles**, adoptant des genres et des formes littéraires qui jouent sur l'implicite, comme le conte philosophique. Ainsi, *Le Supplément au Voyage de Bougainville* de Denis Diderot (1773) prend la forme d'un dialogue entre deux voix désincarnées, A et B.

Le XVIIIe siècle est aussi une époque d'avancées techniques et de découvertes scientifiques. On a foi dans le progrès qu'elles pourront apporter. Joseph Cugnot construit la première automobile en 1769 ; les frères Montgolfier inventent l'aérostat en 1782. Antoine Lavoisier fonde la chimie moderne par ses expérimentations sur les gaz. Les témoignages ramenés de voyage par les grands explorateurs comme Jean-François de La Pérouse, Thomas Cook ou Louis-Antoine de Bougainville passionnent les intellectuels et le grand public.

La structure de l'œuvre

	Lieu	Action
Chap. 1	Sirius	Le narrateur dresse un **portrait élogieux du personnage éponyme**, Micromégas, un géant, habitant de Sirius. Après avoir fait des découvertes scientifiques, Micromégas rédige un **livre jugé hérétique par le muphti, qui lance un procès contre Micromégas**. Celui-ci quitte la cour et voyage de comète en comète jusqu'à s'arrêter sur Saturne.
Chap. 1 et 2	La galaxie puis la planète Saturne	Micromégas se lie d'amitié avec le secrétaire de l'Académie de Saturne, qu'il perçoit comme un «nain» (chap. 1). Micromégas et le Saturnien échangent leurs points de vue sur les proportions de l'univers. C'est l'occasion d'aborder l'**un des thèmes majeurs du conte: la relativité et la question du point de vue**. À l'issue de ce débat, les deux personnages décident de faire un **voyage philosophique** (chap. 2).
Chap. 3	La galaxie	Alors que les deux philosophes s'apprêtent à partir, le Saturnien doit faire ses adieux à son épouse, qui lui reproche de le quitter mais se console rapidement dans les bras d'un autre homme. Le voyage d'astre en astre permet aux deux héros de faire l'expérience de l'observation de l'univers. Les deux voyageurs finissent par rencontrer une «petite lueur» (p. 17).
Chap. 4	La Terre	Arrivés sur la Terre, Micromégas et le Saturnien se reposent et déjeunent. Après cela, ils partent à la découverte des lieux: la Terre paraît minuscule à leur échelle.

Chap. 4 (suite)	La Terre	La reconnaissance du terrain mène les voyageurs à s'interroger sur la **possibilité qu'il y ait de la vie sur cette planète.** C'est alors que s'engage une **dispute philosophique** entre les deux amis. Micromégas casse son collier de diamants. Les voyageurs réalisent que les diamants font de bons microscopes et grâce à eux, le Saturnien fait la découverte des baleines. Micromégas aperçoit un bateau en pleine expédition au cercle polaire. Le chapitre se clôt sur le commentaire du narrateur à propos de cette expédition.
Chap. 5	Quelque part au-dessus de la mer Baltique	Micromégas attrape le navire entre ses doigts. Il observe les hommes de l'équipage, qui s'affolent. Les matelots apparaissent infiniment petits en comparaison des voyageurs. La **question de la relativité** est à nouveau soulevée. Micromégas et le Saturnien éprouvent la **joie de la découverte**, le plaisir de l'observation.
Chap. 6	La Terre	Micromégas et son compagnon **débattent à nouveau afin de savoir si les hommes sont doués de parole et ont une âme.** Micromégas a l'idée ingénieuse de se couper un ongle afin d'en faire un outil acoustique. Les voyageurs sont étonnés: les hommes communiquent avec bon sens. Micromégas prend la parole. Le Saturnien leur parle à son tour et leur pose de nombreuses questions. Les hommes montrent leur intelligence et leurs connaissances, qui émerveillent les voyageurs. **Micromégas tire une conclusion: «il ne faut juger de rien sur sa grandeur apparente»** (p. 33). Les hommes répondent en citant l'exemple des insectes.

inventions scientifiques ←

whales

| Chap. 7 | La Terre | Un long dialogue s'instaure entre Micromégas et les hommes. Micromégas suppose que le bonheur doit se trouver sur Terre, les philosophes humains le détrompent en dressant un sombre tableau de la guerre. **Micromégas et le Saturnien sont frappés par les contradictions des hommes.** **Les deux géants interrogent les Terriens sur leurs connaissances du monde physique puis sur la nature de leur âme.** La conversation fait émerger des **divergences dans les réponses des philosophes**, qui se réclament de différents penseurs (Aristote, Descartes, Malebranche, Locke, Leibniz, saint Thomas). Micromégas leur oppose des arguments montrant l'ineptie de leurs théories. lack of skill Seul le partisan de Locke, qui valorise l'expérience des sens et affirme modestement qu'il y a « plus de choses possibles qu'on ne pense » (p. 38), trouve grâce à ses yeux. La **vision anthropocentriste** du partisan de saint Thomas provoque l'hilarité du Sirien et du Saturnien. Les voyageurs tirent une conclusion certaine : **les hommes sont orgueilleux.** **Micromégas promet aux philosophes un livre empli de sagesse** et expliquant « le bout des choses » (p. 39). |
| **Fin du chap. 7** | L'Académie des sciences de Paris | Le livre est apporté à Paris. On s'empresse de le découvrir : **le livre est blanc.** |

Les grands thèmes de l'œuvre

Le voyage

Les premiers chapitres du conte sont constitués du récit d'un voyage à travers l'espace : Micromégas se déplace «de globe en globe», explore la voie lactée et se rend sur Saturne (chap. 1) où il rencontre son futur compagnon de voyage. Les deux protagonistes «saut[ent] d'abord sur l'anneau» de Saturne, puis voyagent «de lune en lune», jusqu'à finalement parvenir sur Terre (chap. 3).

Ce voyage physique se double d'un voyage initiatique. Ce conte philosophique présente en effet des héros en formation. Le schéma narratif évoque les différentes étapes de l'initiation de Micromégas : jeune âge («au sortir de l'enfance», chap. 1), rencontre d'un compagnon (chap. 1), départ en voyage (chap. 3) et découverte d'une terre inconnue (chap. 4). **Cet itinéraire permet l'apprentissage de nouvelles connaissances, mais aussi une initiation intellectuelle voire morale**, qui concerne particulièrement l'ami de Micromégas. Le Saturnien, qui «jugeait quelques fois un peu trop vite» au départ (chap. 4), passe ensuite «d'un excès de défiance à un excès de crédulité» (chap. 5). Au chapitre 6, il est «honteux de s'être mépris» mais son erreur lui apporte un enseignement puisqu'il se montre dès lors plus prudent : «Je n'ose plus ni croire ni nier, dit le nain [...]. Il faut tâcher d'examiner ces insectes, nous raisonnerons après.»

Science, vérité et relativité

L'apologue est placé sous le signe de la science. En témoignent les nombreux termes mathématiques dans les premières lignes du récit. Les «lois de la gravitation, et [...] toutes les forces attractives et répulsives» sont connues de Micromégas qui les exploite pour se déplacer (chap. 1).

Le texte de Voltaire souligne la nécessité d'adopter une démarche scientifique alliant raisonnement et expérience : **l'empirisme est un moyen de se défaire des préjugés. Mais les apparences sont parfois trompeuses**, comme le souligne le narrateur avec humour à la fin du chapitre 5 : «il se trompait sur les apparences, ce qui n'arrive que trop, soit qu'on se serve ou non de microscopes». Il faut donc se méfier des jugements hâtifs et hasardeux : «vous ne voyez pas avec vos petits yeux certaines étoiles de la cinquantième grandeur que j'aperçois très distinctement; concluez-vous de là que ces étoiles n'existent pas ? » (chap. 4). C'est bien de l'observation que naissent de justes hypothèses.

C'est aussi la prise de conscience de la relativité des points de vue qui permet d'échapper aux préjugés. **Le conte suggère que toute opinion est relative**. Le Saturnien est fréquemment désigné comme un «nain» car il semble petit à l'immense Micromégas, mais tous deux apparaissent comme des géants pour les hommes. Tout est question de point de vue : pour les deux voyageurs, la mer Méditerranée devient une « mare, presque imperceptible », les continents sont une « taupinière » (chap. 4). **Le thème de la relativité sert aussi la satire de la vanité humaine** : les hommes, qui pensent parfois être le centre de l'univers, ne sont que des « mites », des « atomes » (chap. 5, 6, 7) du point de vue des deux géants.

Métaphysique et connaissance

La question de la métaphysique est soulevée plus particulièrement au chapitre 7. Pour répondre au problème posé par Micromégas (« dites-moi ce que c'est que votre âme, et comment vous formez vos idées »), les philosophes terriens récitent les doctrines des grands penseurs à propos de l'âme. C'est l'occasion pour Voltaire de dénoncer les absurdités de la métaphysique, qui produit des discours abstraits, parfois sans lien avec le réel, telles les images évoquées par le leibnizien (l. 111-115). Ce dialogue invite à faire preuve de prudence et d'humilité en matière de connaissance métaphysique : « je n'affirme rien, je me contente de croire qu'il y a plus de choses possibles qu'on ne pense », soutient ainsi le partisan de Locke, qui, selon les géants, n'est pas « le moins sage ».

La chute du conte ridiculise la vanité dont les hommes font preuve en matière de connaissance. Les éclats de rire des protagonistes accompagnent la leçon d'humilité finale donnée par le livre blanc : on ne sait jamais vraiment tout.

La question de l'homme

Dans *Micromégas*, la satire est le moyen d'une critique virulente de la société (→ voir fiche 5, p. 53-54), mais aussi des mœurs. **L'image donnée de la nature humaine dans *Micromégas* est plutôt pessimiste.** Voltaire ironise d'abord sur l'**infidélité féminine** au chapitre 3 : la maîtresse du Saturnien lui fait des adieux accusateurs et larmoyants, s'évanouit de douleur, puis va « se consoler avec un petit-maître du pays ».

La satire de la guerre, au chapitre 7, dénonce la violence et incrimine les puissants qui en sont responsables. Mais ce passage souligne aussi l'**absence d'esprit critique des hommes** qui se battent entre eux, et l'absurdité de leur comportement, dénué de motifs valables : « ce n'est pas qu'aucun de ces millions d'hommes qui se font égorger prétende un fétu sur ces tas de boue », « ni l'un ni l'autre n'a jamais vu ni ne verra jamais le petit coin de Terre dont il s'agit ».

Même les philosophes n'échappent pas à l'ironie féroce du narrateur : les érudits sont parfois vaniteux et malhonnêtes. Ainsi, le disciple d'Aristote récite délibérément en grec une phrase dont il ne comprend pas le sens afin de dissimuler son ignorance : « il faut bien citer ce qu'on ne comprend point du tout dans la langue qu'on entend le moins » (chap. 7), affirme-t-il.

Les formes de l'argumentation

Une argumentation indirecte

Dans un texte argumentatif, l'auteur peut choisir d'exprimer son point de vue de manière explicite. Mais, au XVIIIe siècle, c'est un parti-pris risqué car l'Église et la monarchie ont à l'époque un pouvoir presque absolu, et s'exprimer en son propre nom peut entraîner de lourdes conséquences (censure ou emprisonnement). **Ainsi, les philosophes des Lumières préfèrent souvent exprimer leurs idées de manière implicite**, à travers des personnages ou des situations de fiction.

Excepté Micromégas, les personnages du conte de Voltaire n'ont pas de nom et fonctionnent comme des stéréotypes. **Le lecteur a une liberté d'interprétation et peut identifier des personnes réelles derrière les personnages**.

Voltaire choisit le conte philosophique pour contourner la censure, thème mis en scène dans le récit dès le premier chapitre : « le muphti de son pays, grand vétillard et fort ignorant, trouva dans [le livre de Micromégas] des propositions suspectes, malsonnantes, téméraires, hérétiques ». L'écrivain philosophe feint de ne pas critiquer la société française du XVIIIe siècle puisqu'il met en scène des êtres merveilleux, comme le géant et le nain, place le cadre de son récit dans l'espace et confie la critique des Terriens au regard nouveau et prétendument objectif des deux voyageurs.

La fiction, miroir du réel

C'est pourtant bien un tableau de la société du XVIIIe siècle qui se dessine à travers le récit. Plusieurs de ses institutions sont visées à travers la satire virulente de l'auteur. **Voltaire dénonce d'abord l'intolérance de l'Église et ses conséquences que sont la censure et l'obscurantisme**. Le chapitre 3 rappelle la mainmise religieuse quant à la diffusion des savoirs, « de forts beaux secrets qui seraient actuellement sous presse sans messieurs les inquisiteurs ». **C'est aussi la superstition liée aux croyances religieuses qui est critiquée** au travers des dérisoires prières de l'aumônier : « l'aumônier du vaisseau récita des prières d'exorcisme » (chap. 6). **C'est enfin la violence de la guerre et surtout la culpabilité des puissants qui sont pointés du doigt au chapitre 7** : les guerres sont dénuées de motivations raisonnables et donnent lieu à des massacres. Les véritables coupables en sont les « barbares sédentaires », le roi et les ministres qui décident de lancer des conflits mais demeurent à l'abri au « fond de leur cabinet » et ont ensuite le cynisme d'en faire « remercier Dieu solennellement ».

Le lecteur est incité à établir des correspondances entre fiction et réel. Pour cela, la référence à la réalité se fait selon différents modes. Voltaire glisse dans le texte un certain nombre de **références explicites** à des éléments du réel. Ainsi, le chapitre 1 évoque la Chine, la Turquie, l'Italie; le narrateur mentionne au chapitre 6 Virgile, Swammerdam et Réaumur. L'**intertextualité** est aussi une façon d'inclure dans l'œuvre des références plus ou moins explicites, tels l'emprunt de l'expression de Charles Rollin au chapitre 1 ou la mention du rire homérique à la fin du chapitre 7. Dans certains passages, la référence au réel est beaucoup plus discrète et relève plutôt de l'**allusion**, comme à propos du « secrétaire de l'Académie de Saturne » (chap. 1), qu'on a parfois identifié comme étant un double de Bernard de Fontenelle, secrétaire de l'Académie des sciences.

La stratégie argumentative de Voltaire repose en grande partie sur le rôle du lecteur. Faire de lui un acteur qui peut construire le sens de l'œuvre rend l'argumentation d'autant plus convaincante. Puisque rien n'est dit explicitement, le lecteur est invité à formuler ses propres interprétations et à faire preuve d'esprit critique.

L'ironie

Outre le décryptage des allusions, **le lecteur doit aussi saisir l'ironie du narrateur, qui est l'instrument privilégié de la satire.** Elle nécessite une compétence de la part du lecteur. En effet, par définition, l'ironie repose sur la capacité du lecteur à déchiffrer l'implicite, à saisir l'idée réellement véhiculée derrière les propos ironiques. Le récit de *Micromégas* est ponctué de très fréquents commentaires ironiques, comme à la fin du chapitre 4: « je vais raconter ingénument comme la chose se passa, sans y rien mettre du mien, ce qui n'est pas un petit effort pour un historien ». Le narrateur, et derrière sa voix, celle de Voltaire, souligne avec ironie l'incapacité de ceux qui se prétendent historiens à retracer des faits avec objectivité.

La dispute philosophique

Le dialogue, très présent dans *Micromégas*, est la forme privilégiée de l'argumentation dans ce texte. En proposant une réflexion menée sur la base de l'échange, Voltaire met en scène dans la fiction l'une des caractéristiques de la philosophie des Lumières: le débat, appelé « dispute ». Les deux héros voyageurs parviennent ainsi à se forger un jugement sur la base d'un jeu de questions-réponses.

Les échanges entre Micromégas et son compagnon, à la tonalité didactique, relèvent d'une relation maître-élève. **La façon dont Micromégas interroge et guide le Saturnien évoque la méthode du dialogue socratique**, qui met en évidence la contradiction du propos initial et amène l'interlocuteur à trouver la vérité par lui-même.

La dispute philosophique évolue au cours des différents échanges. Dans le chapitre 2, les répliques des deux protagonistes sont d'abord marquées par un désaccord assez vif. Toutefois, le dialogue évolue vers l'échange constructif. En confrontant leurs points de vue, les deux héros progressent vers une conclusion et un projet communs: « ils résolurent de faire ensemble un petit voyage philosophique » (chap. 2).

Le conte philosophique

Un sous-genre de l'apologue

L'apologue est un court récit plaisant à la portée didactique, c'est-à-dire qui entend apporter un enseignement au lecteur. La fiction y sert d'exemple illustrant une morale plus ou moins explicite : l'apologue est donc par définition un genre argumentatif. On distingue plusieurs formes d'apologue : la parabole (en général religieuse), la fable, l'utopie et le conte philosophique.

Les marques du conte traditionnel

Les marques du conte traditionnel sont présentes dans *Micromégas*. La tournure de la première phrase rappelle la formule typique « il était une fois » : « dans une de ces planètes [...], il y avait un jeune homme de beaucoup d'esprit ». Le cadre temporel est indéfini. Les personnages, « nain » et « géant », sont empruntés au folklore des contes. Comme dans ce genre, les héros effectuent un voyage initiatique, poursuivent une quête et sortent grandis de leur périple.

Le narrateur se donne le rôle d'un conteur impliqué dans le récit. Il emploie la première personne et se présente comme un témoin direct des événements (« je rapporterai » ; « que je prétende », chap. 1). Sa voix rappelle la tradition orale du conte et suscite l'attention du lecteur en s'adressant directement à lui (« pour la satisfaction des lecteurs », chap. 1).

Un conte philosophique

Le conte philosophique naît au xviiie siècle. Les caractéristiques du conte de fées sont revisitées dans une perspective satirique afin de délivrer un enseignement philosophique. Dans *Micromégas*, le texte porte des indices très nets de cet objectif : les voyageurs sont présentés comme des « philosophes » (chap. 3) et au chapitre 7 sont mentionnés de grands noms de la tradition philosophique : « le plus vieux citait Aristote, l'autre prononçait le nom de Descartes, celui-ci de Malebranche, cet autre de Leibniz, cet autre de Locke ».

Si Voltaire utilise des personnages de conte comme les géants, c'est pour critiquer la nature humaine (➡ voir fiche 4, p. 51-52) et la société de son temps (➡ voir fiche 5, p. 53-54). Les aventures vécues par les protagonistes servent donc l'intention critique de l'écrivain. **Surtout, la curiosité des personnages est un prétexte pour évoquer les grandes questions philosophiques de l'époque**, comme le débat concernant l'existence et la nature de l'âme humaine : « pour parler, il faut penser, ou à peu près ; mais, s'ils pensaient, ils auraient donc l'équivalent d'une âme » (chap. 6) ; « dites-moi ce que c'est que votre âme, et comment vous formez vos idées » (chap. 7). **On lit aussi des références discrètes au déisme de Voltaire** (➡ voir glossaire, p. 94-95) dans les propos de Micromégas, à travers des formules comme « le Créateur » (chap. 2 et 6), « l'Être éternel » (chap. 7) : le mot « Dieu » n'est employé que par les Terriens.

Cependant, la fin du conte ne délivre pas de morale : en effet, la chute est délibérément décevante pour les personnages comme pour le lecteur. Le « livre blanc » donne à penser qu'on ne peut connaître « le bout des choses », mais **cette fin ouverte témoigne surtout d'un refus du didactisme** (démarche consistant à délivrer une leçon). Elle favorise la liberté d'interprétation du lecteur au lieu de lui apporter une morale explicite, déjà formulée. Chacun doit réfléchir par lui-même.

Divertir le lecteur

En choisissant le genre du conte, Voltaire cherche d'abord à distraire le lecteur. S'ils permettent une critique de la société du XVIIIᵉ siècle, le motif du voyage (➡ voir fiche 4, p. 51-52) et la mise en scène de géants ont d'abord la faculté d'entraîner le lecteur dans un univers dépaysant. De même, les antithèses (« après avoir vu [...] cet autre petit étang qui, sous le nom du grand Océan », chap. 4) et les métaphores animales (« mites », « animalcule », « taupinière ») destinées à faire comprendre la notion de relativité sont vraiment tout amusantes.

Le texte est teinté d'humour. Celui-ci se manifeste de façon très discrète, par exemple dans la juxtaposition, sans commentaire, de plusieurs expressions, comme dans les passages suivants : « vers les quatre cent cinquante ans, au sortir de l'enfance » (chap. 1) ; « l'aumônier du vaisseau récita les prières des exorcismes, les matelots jurèrent, et les philosophes du vaisseau firent un système » (chap. 6).

Merveilleux, récit de voyage, science-fiction

Conte philosophique, *Micromégas* emprunte aussi à d'autres genres.

***Micromégas* détourne la féerie des récits merveilleux.** Gigantisme des personnages, origine extra-terrestre, évocation des déplacements de Micromégas « par la commodité d'une comète » (chap. 1) : ces éléments non réalistes tiennent plus de la science-fiction que de la magie.

Le cadre spatial et les détails donnés sur l'exploitation des différents corps célestes apportent en effet de la fantaisie au récit, **préfigurant les romans de science-fiction du XIXᵉ siècle.**

Enfin, les découvertes des deux héros reflètent le goût de l'époque pour **les récits de voyage, très en vogue au XVIIIᵉ siècle**, qu'ils soient fictionnels comme les *Voyages de Gulliver* de Jonathan Swift, les *Lettres persanes* de Montesquieu (tous deux publiés en 1721), ou réels, tels le *Voyage en Perse et aux Indes orientales* relaté par Jean Chardin (1711) ou le *Voyage autour du monde* de Louis-Antoine de Bougainville (1771). Les titres des chapitres de *Micromégas* rappellent d'ailleurs les codes propres à ce genre.

Le siècle des Lumières

Le mot « Lumières » est métaphorique et désigne un courant intellectuel, culturel et artistique du XVIIIᵉ siècle. **Les penseurs et scientifiques des Lumières luttent contre l'ignorance de manière à éclairer toute chose à la lumière de la raison.** Ce mouvement a donc pour figure emblématique celle du philosophe, que Voltaire définit comme un « amateur de la sagesse, c'est-à-dire de la vérité » (*Dictionnaire philosophique*, 1764).

De nouvelles valeurs

Les philosophes des Lumières veulent notamment faire triompher l'idée de liberté sous toutes ses formes : liberté de pensée, liberté d'action, liberté d'expression, liberté religieuse. Les hommes de lettres et de science ont foi dans le progrès humain et placent l'homme au centre de toutes les réflexions, ce qui fonde le caractère profondément humaniste de ce mouvement, hérité de la Renaissance.

Les écrivains des Lumières veulent mettre fin à l'obscurantisme, à l'injustice et à l'intolérance. **Les abus de pouvoir sont dénoncés et combattus, suivant la devise de Voltaire : « écrasons l'infâme ».** Les institutions qui exercent une autorité illégitime ou excessive, telles l'Église ou la monarchie absolue de droit divin, sont les cibles privilégiées de la critique des philosophes (➡ voir l'article

« Autorité politique » de l'*Encyclopédie* reproduit p. 87-88). Montesquieu dénonce ainsi l'intolérance à travers ses *Lettres persanes* (1721), Voltaire attaque le fanatisme religieux dans *Zadig* (1748) ainsi que les guerres absurdes et l'inquisition dans *Candide* (1759), Beaumarchais souligne le caractère infondé des privilèges de la noblesse dans *Le Mariage de Figaro* (1784).

Les philosophes s'engagent aussi concrètement, et non seulement à travers leurs écrits. Voltaire intervient ainsi dans des affaires judiciaires pour réhabiliter les victimes du fanatisme religieux (affaire Calas en 1762, affaire du chevalier de La Barre en 1765-1766).

La diffusion des savoirs et des idées

Le XVIIIᵉ siècle voit l'essor de nombreux genres argumentatifs, que les écrivains emploient pour diffuser les idées des Lumières : l'essai, le discours, le pamphlet, les articles (argumentation directe) ou encore le conte philosophique, la forme dialoguée (argumentation indirecte). Outre l'expression du point de vue de leurs auteurs, l'objectif de ces œuvres est de faire réfléchir les lecteurs et de les amener à formuler leurs propres opinions.

Les lieux de rencontre et de débat se développent. Les salons, le plus souvent tenus par des femmes érudites comme Mlle de Lespinasse, permettent aux esprits cultivés d'échanger des idées dans un cadre raffiné. Les cafés, les clubs ou encore les académies, plus masculins, se multiplient. Les penseurs se rassemblent pour débattre de sujets politiques, pour aborder des questions littéraires ou artistiques, ou pour évoquer les nouvelles perspectives ouvertes par les dernières découvertes scientifiques (➡ voir fiche 2, p. 47).

Au milieu du siècle, un grand projet littéraire voit le jour sous la direction de Denis Diderot (1713-1784) et de Jean d'Alembert (1717-1783): l'*Encyclopédie*. Il réunit les grands penseurs de l'époque: scientifiques, écrivains, hommes de loi. L'objectif est de faire la synthèse des connaissances humaines. Rassemblant des sujets variés, l'*Encyclopédie* compte 60 000 articles. Certains adoptent un ton violemment satirique ou polémique, ne se bornant pas à donner des définitions de manière neutre. Cependant, cette entreprise ne se résume pas à la volonté d'informer ou de dénoncer. Elle entend également former les esprits, amener les lecteurs à adopter un regard critique sur le monde. C'est pour ces raisons que l'*Encyclopédie* est attaquée par les religieux en 1752 puis en 1757. Sa publication est interdite et l'œuvre est condamnée par le pape Clément XIII.

Micromégas, une œuvre des Lumières

Le conte de Voltaire témoigne de l'esprit des Lumières à plus d'un titre.

Pour trouver des réponses aux multiples questions qu'ils se posent au chapitre 2, les deux héros décident de « faire ensemble un petit voyage philosophique »: le désir d'acquérir de nouveaux savoirs est donc au fondement même du récit. **Le thème essentiel de *Micromégas* est celui de la connaissance, qu'elle émane de la science ou de la métaphysique.** Le conte montre qu'elle repose sur les sciences et qu'elle nécessite l'observation. Micromégas utilise ainsi des « microscopes » pour mieux voir (chap. 4 et 5), et écoute attentivement pour comprendre (chap. 6 et 7) avant de tirer des conclusions. Le texte véhicule à ce titre les idées du philosophe anglais John Locke: « je sais que je n'ai jamais pensé qu'à l'occasion de mes sens », affirme le « petit partisan de Locke » au chapitre 7.

***Micromégas* fait également référence aux découvertes scientifiques de l'époque, en particulier dans le domaine de l'astrophysique.** Le chapitre 3 fait allusion aux travaux de Christian Huygens, savant qui a, le premier, décrit l'un des anneaux de Saturne. Les mentions des « comètes » (chap. 1 et 3) rappellent les études menées par Edmond Halley. La loi de la gravitation universelle, évoquée à deux reprises (chap. 1 et 2), est à mettre en lien avec les travaux d'Isaac Newton dans la deuxième moitié du xviie siècle. **Le récit fait aussi écho aux débats qui ont agité le** xviiie **siècle, notamment ceux qui ont opposé science et religion** : ainsi le narrateur se moque-t-il, derrière une prétendue neutralité, de l'anglais Guillaume Derham, qui disait avoir observé le paradis avec une lunette astronomique (chap. 1).

La thématique du voyage, bien que traitée de façon non réaliste, fait écho aux observations ethnographiques menées lors d'expéditions scientifiques, et aux récits de voyages qui en sont rapportés (➡ voir fiche 6, p. 55-56). Le chapitre 4 fait d'ailleurs allusion à l'expédition menée par Maupertuis en Laponie en 1736-1737. Le regard neuf porté sur une terre inconnue est une stratégie argumentative, mais on peut aussi lire *Micromégas* comme un témoignage de ce goût pour la nouveauté et l'exotisme, voire comme une parodie du genre très en vogue qu'était alors le récit de voyage.

Enfin, c'est par sa dimension contestataire que *Micromégas* **s'inscrit dans le mouvement des Lumières.** L'intolérance religieuse et la censure sont critiquées à travers le sort réservé au « muphti », tourné en dérision de façon provocatrice par le narrateur au chapitre 1. De même, au chapitre 7, les propos du philosophe dénoncent de façon très virulente l'irresponsabilité et le cynisme des « puissants » qui lancent des guerres et causent des massacres auxquels ils ne prennent pas part.

Citations

Micromégas

« Tous les êtres pensants sont différents, et tous se ressemblent au fond par le don de la pensée et des désirs. »

Chapitre 2.

« Car, disait-il, vous ne voyez pas avec vos petits yeux certaines étoiles de la cinquième grandeur que j'aperçois très distinctement ; vous concluez de là que ces étoiles n'existent pas ? »

Chapitre 4.

« Mais il se trompait sur les apparences, ce qui n'arrive que trop, soit qu'on se serve ou non de microscopes. »

Chapitre 5.

« Pour parler, il faut penser, ou à peu près ; mais, s'ils pensaient, ils auraient donc l'équivalent d'une âme. Or, attribuer l'équivalent d'une âme à cette espèce, cela lui paraissait absurde. »

Chapitre 6.

« Je n'ose plus ni croire ni nier, dit le nain ; je n'ai plus d'opinion. Il faut tâcher d'examiner ces insectes, nous raisonnerons après. »

Chapitre 6.

« Je vois plus que jamais qu'il ne faut juger de rien sur sa grandeur apparente. »

Chapitre 6.

« Savez-vous bien, par exemple, qu'à l'heure que je vous parle il y a cent mille fous de notre espèce, couverts de chapeaux, qui tuent cent mille autres animaux couverts d'un turban, ou qui sont massacrés par eux, et que, presque par toute la Terre, c'est ainsi qu'on en use de temps immémorial ? »

Chapitre 7.

« D'ailleurs, ce n'est pas eux qu'il faut punir : ce sont ces barbares sédentaires qui, du fond de leur cabinet, ordonnent, dans le temps de leur digestion, le massacre d'un million d'hommes, et qui ensuite en font remercier Dieu solennellement. »

Chapitre 7.

« Puisque vous savez si bien ce qui est hors de vous, sans doute vous savez encore mieux ce qui est en dedans. »

Chapitre 7.

« Le Sirien reprit les petites mites ; il leur parla encore avec beaucoup de bonté, quoi qu'il fut un peu fâché dans le fond du cœur de voir que les infiniment petits eussent un orgueil presque infiniment grand. »

Chapitre 7.

À propos de *Micromégas*

Micromégas est une version plus élaborée d'un premier récit, Le Voyage du baron de Gangan, *écrit pour Frédéric II de Prusse. Un échange de lettres avec celui-ci a laissé une trace de sa toute première réception.*

« C'est une fadaise philosophique qui ne doit être lue que comme on se délasse d'un travail sérieux avec les bouffonneries d'Arlequin. [Le lecteur] y verra au moins un petit article plein de vérité sur les choses de la terre. »

Voltaire à Frédéric II de Prusse.

« Il m'a beaucoup amusé, ce voyageur céleste ; et j'ai remarqué en lui quelque satire et quelque malice qui lui donnent beaucoup de ressemblance avec les habitants de notre globe, mais qu'il ménage si bien qu'on voit en lui un jugement plus mûr et une imagination plus vive qu'en tout autre être pensant. »

Frédéric II de Prusse à Voltaire.

***

« Le conte de *Micromégas* ne met en scène des habitants d'autres globes que pour donner une juste appréciation de l'homme ».

« *Micromégas*, de fait, respire une sorte d'ivresse cosmique. La fantaisie et le rêve, qui la traduisent, se conforment étroitement aux acquisitions de la science la plus pure ».

« Le conte de *Micromégas*, sans aucun doute, marque un des sommets de l'"optimisme" voltairien. »

Jacques Van den Heuvel,
Voltaire dans ses contes: de Micromégas à L'Ingénu, Armand Colin, 1967.

Groupements de textes

Groupement 1
Voyage et découverte de l'autre au XVIIIᵉ siècle

Lahontan, *Dialogues de M. le Baron de Lahontan et d'un sauvage dans l'Amérique*

Les *Dialogues de M. le Baron de Lahontan* mettent en œuvre, pour la première fois, un procédé qui devient par la suite fréquent dans les écrits des Lumières: le recours à un regard étranger pour critiquer la société. L'extrait suivant est un dialogue fictif dans lequel Lahontan (1666-1715), voyageur anthropologue français, se met en scène, conversant avec Adario, un Indien d'Amérique. Pour écrire ce dialogue, il s'inspira de sa propre expérience lors d'un séjour au Canada.

ADARIO. – […] Quel genre d'hommes sont les Européens! Quelle sorte de créatures qui font le bien par force[1] et n'évitent à faire le mal que par la crainte des châtiments? Si je te demandais ce que c'est qu'un homme, tu me répondrais que c'est un Français, et moi je te prouverai que c'est plutôt un castor. Car un homme n'est

---

1. **Par force**: sous la contrainte, parce qu'ils y sont forcés.

pas homme à cause qu'il est planté droit sur ses deux pieds, qu'il sait lire et écrire, et qu'il a mille autres industries[1]. J'appelle un homme celui qui a un penchant naturel à faire le bien et qui ne songe jamais à faire du mal. Tu vois bien que nous[2] n'avons point de juges; pourquoi? Parce que nous n'avons point de querelles ni de procès.

Mais pourquoi n'avons-nous pas de procès? C'est parce que nous ne voulons point recevoir ni connaître l'argent. Pourquoi est-ce que nous ne voulons pas admettre cet argent? C'est parce que nous ne voulons pas de lois, et que depuis que le monde est monde nos pères ont vécu sans cela. Au reste, il est faux, comme je l'ai déjà dit, que le mot de lois signifie parmi vous les choses justes et raisonnables, puisque les riches s'en moquent et qu'il n'y a que les malheureux qui les suivent. Venons donc à ces lois ou choses raisonnables. Il y a cinquante ans que les gouverneurs du Canada prétendent que nous soyons sous les lois de leur grand capitaine[3]. Nous nous contentons de nier notre dépendance de tout autre que du grand Esprit[4]; nous sommes nés libres et frères unis, aussi grands maîtres les uns que les autres; au lieu que vous êtes tous des esclaves d'un seul homme. [...]

LAHONTAN. – En vérité, mon ami, tes raisonnements sont aussi sauvages que toi. Je ne conçois pas qu'un homme d'esprit et qui a été en France et à la Nouvelle-Angleterre puisse parler de la sorte. Que te sert-il d'avoir vu nos villes, nos forteresses, nos palais, nos arts, notre industrie et nos plaisirs? Et quand tu parles de lois sévères, d'esclavage, et de mille autres sottises, il est sûr que tu prêches contre ton sentiment[5]. Il te fait beau voir me citer la félicité des Hurons[6], d'un tas de gens qui ne font que boire, manger, dormir, chasser, et pêcher, qui n'ont aucune commodité de

---

1. **Industries**: habiletés, savoir-faire.
2. Adario évoque son peuple, les Indiens.
3. Allusion au roi de France et à la reine d'Angleterre (le Canada était une colonie que se disputaient ces deux pays).
4. **Grand Esprit**: divinité de la nature célébrée par les Indiens d'Amérique.
5. **Tu prêches contre ton sentiment**: tes discours vont à l'encontre de ce que tu penses réellement.
6. **Il te fait beau voir me citer la félicité des Hurons**: c'est un comble de t'entendre vanter le bonheur des Indiens du Canada.

la vie[1], qui font quatre cents lieues[2] à pied pour aller assommer quatre Iroquois[3], en un mot, des hommes qui n'en ont que la figure. Au lieu que nous avons nos aises, nos commodités, et mille plaisirs, qui font trouver les moments de la vie supportables ; il ne faut qu'être honnête homme et ne faire de mal à personne, pour n'être pas exposé à ces lois, qui ne sont sévères qu'envers les scélérats[4] et les méchants.

Louis-Armand de Lom d'Arce Lahontan, *Dialogues de M. le Baron de Lahontan et d'un sauvage dans l'Amérique* [1704], éditions Dejoncquères, 2007.

Montesquieu, *Lettres persanes*

Ce roman épistolaire de Montesquieu (1689-1755) rassemble la correspondance prétendument réelle que deux Persans – c'est-à-dire des habitants de la Perse, l'actuel Iran –, Rica et Usbek, adressent à leurs amis au cours d'un voyage en Europe. Le regard faussement étonné des Persans est pour Montesquieu le prétexte d'une critique tantôt sérieuse, tantôt pleine d'humour de la société française de son temps. Dans la lettre 30, Rica décrit avec une ironie mordante l'attitude des Parisiens envers lui : un jeu de regards réciproques se met en place.

RICA [À IBBEN].
À Smyrne.

Les habitants de Paris sont d'une curiosité qui va jusqu'à l'extravagance. Lorsque j'arrivai, je fus regardé comme si j'avais été envoyé du ciel : vieillards, hommes, femmes, enfants, tous voulaient me voir. Si je sortais, tout le monde se mettait aux fenêtres ; si j'étais aux Tuileries[5], je voyais aussitôt un cercle se former autour de moi ; les femmes mêmes faisaient un arc-en-ciel nuancé de mille couleurs, qui m'entourait ; si j'étais aux

1. **Qui n'ont aucune commodité de la vie** : qui ne disposent d'aucun confort.
2. **Lieues** : anciennes unités de mesure de longueur (1 lieue équivaut à environ 4 kilomètres).
3. **Iroquois** : Indiens d'Amérique du Nord.
4. **Scélérats** : criminels.
5. **Tuileries** : jardin parisien.

spectacles, je trouvais d'abord cent lorgnettes[1] dressées contre ma figure ; enfin, jamais homme n'a tant été vu que moi. Je souriais quelquefois d'entendre des gens qui n'étaient presque jamais sortis de leur chambre, qui disaient entre eux : « Il faut avouer qu'il a l'air bien persan. » Chose admirable ! je trouvais de mes portraits partout ; je me voyais multiplié dans toutes les boutiques, sur toutes les cheminées, tant on craignait de ne m'avoir pas assez vu.

Tant d'honneurs ne laissent pas d'être à charge[2] : je ne me croyais pas un homme si curieux et si rare ; et, quoique j'aie très bonne opinion de moi, je ne me serais jamais imaginé que je dusse troubler le repos d'une grande ville, où je n'étais point connu. Cela me fit résoudre à quitter l'habit persan, et à en endosser un à l'européenne, pour voir s'il resterait encore, dans ma physionomie[3], quelque chose d'admirable. Cet essai me fit connaître ce que je valais réellement. Libre de tous les ornements étrangers, je me vis apprécié au plus juste. J'eus sujet de me plaindre de mon tailleur, qui m'avait fait perdre en un instant l'attention et l'estime publique ; car j'entrai tout à coup dans un néant affreux. Je demeurais quelquefois une heure dans une compagnie sans qu'on m'eût regardé, et qu'on m'eût mis en occasion d'ouvrir la bouche. Mais, si quelqu'un par hasard apprenait à la compagnie que j'étais persan, j'entendais aussitôt autour de moi un bourdonnement : « Ah ! ah ! monsieur est persan ? C'est une chose bien extraordinaire ! Comment peut-on être persan ? »

De Paris,
le 6 de la lune de Chalval 1712.

Montesquieu, *Lettres persanes* [1721], lettre 30,
Belin-Gallimard, « Classico », 2019.

---

1. Lorgnettes : petites lunettes grossissantes, utilisées notamment au théâtre et à l'opéra.
2. Ne laissent pas d'être à charge : ne manquent pas d'embarrasser, de gêner.
3. Physionomie : apparence.

Jonathan Swift, *Voyages de Gulliver*

Récit de voyage imaginaire de Jonathan Swift (1667-1745), les *Voyages de Gulliver* retracent les pérégrinations de son héros. Ses voyages l'amènent à rencontrer des populations très variées, tantôt minuscules, tantôt géantes. Comme *Micromégas*, le roman évoque le thème de la relativité en jouant sur la taille des personnages. Dans cet extrait, Gulliver vient de parvenir à Brobdingnag, le pays des géants.

Le roi était plus savant qu'aucun homme de son royaume. Il avait étudié les sciences, en particulier les mathématiques. Pourtant, après avoir soigneusement examiné la forme de mon corps et constaté que je marchais debout, il imagina, ne m'ayant pas encore entendu parler, que je pouvais être un jouet mécanique monté par un artiste particulièrement habile (car cet art est poussé chez eux à un haut degré de perfection). Mais quand il entendit ma voix, qu'il reconnut qu'elle énonçait des phrases rationnelles, il ne put dissimuler son extrême surprise. [...]

Sa Majesté fit mander[1] les trois grands savants qui, selon la coutume locale, étaient de semaine[2] au Palais. Ces messieurs, après m'avoir examiné en détail avec un soin minutieux, furent d'opinions différentes à mon sujet. Tous s'accordèrent à déclarer que je ne pouvais avoir été produit selon les lois normales de la nature, puisque j'étais dépourvu des qualités nécessaires à la conservation de la vie, ne pouvant ni grimper aux arbres, ni fuir rapidement, ni creuser le sol pour m'y cacher. D'après l'examen de mes dents, qu'ils firent avec beaucoup de minutie, ils virent que j'étais carnivore; pourtant la plupart des quadrupèdes[3] étant bien trop forts pour moi, et les autres, comme la souris, beaucoup trop lestes[4], ils ne pouvaient concevoir comment je trouvais à me nourrir, à moins de manger des escargots et autres insectes, chose tout à fait impossible : ils s'offraient à le démontrer par cent arguments fort savants.

---

1. **Mander** : appeler.
2. **De semaine** : de garde.
3. **Quadrupèdes** : animaux à quatre pattes.
4. **Lestes** : agiles.

L'un de ces experts semblait penser que je pouvais être un embryon, c'est-à-dire le produit d'une fausse couche. Mais les autres rejetèrent cette théorie, alléguant que mes membres étaient parfaitement développés et que j'avais vécu plusieurs années, comme le prouvait de façon manifeste l'existence de ma barbe, dont ils distinguaient fort bien les poils à la loupe.

Ils n'admettaient pas non plus que je pusse être un nain, car ma petitesse extrême excluait toute espèce de rapprochement : le nain favori de la Reine, en effet, le plus petit qu'on eût jamais vu dans ce Royaume, avait presque trente pieds[1] de haut. Après de longs débats, ils conclurent à l'unanimité que je n'étais rien qu'un *relplum scalcath* – mot à mot : *lusus naturae*[2] – définition qui concorde avec les doctrines actuellement à la mode en Europe, car ceux qui les professent, dédaignant de faire appel, pour éluder[3] les difficultés, à la théorie ancienne des causes occultes[4], qui ne permettait guère aux disciples d'Aristote[5] de dissimuler leur ignorance, ont inventé cette admirable solution passe-partout, pour le plus grand avancement du savoir humain.

Jonathan Swift, *Voyages de Gulliver* [1721], seconde partie, chap. 3, trad. de l'anglais par J. Pons, Gallimard, « Folio classique », 1976.

Groupements de textes

Voltaire, *L'Ingénu*

Dans *L'Ingénu*, Voltaire (1694-1778) met en scène un étranger qui découvre la société française. À Saint-Malo, l'abbé de Kerkabon et sa sœur vivent paisiblement dans un prieuré. Au début de ce conte philosophique, un navire anglais accoste près d'eux et un Indien iroquois débarque, les invitant à boire du rhum. Le lecteur découvre le

---

1. Pieds : anciennes unités de mesure de longueur (1 pied équivaut à environ 30 centimètres).
2. *Lusus naturae* : en latin, « plaisanterie de la nature », expression qui désigne un individu monstrueux, un phénomène de foire.
3. Éluder : contourner, éviter.
4. Occultes : cachées et mystérieuses.
5. Aristote (384-322 av. J.-C.) : philosophe grec selon qui les choses ont des causes (caractéristiques) premières et d'autres causes, secrètes, qu'on ne peut expliquer.

personnage au travers du regard des Kerkabon, mais cette rencontre est aussi l'occasion de représenter les comportements français aux yeux d'un étranger.

Sa figure et son ajustement[1] attirèrent les regards du frère et de la sœur. Il était nu-tête et nu-jambes, les pieds chaussés de petites sandales, le chef[2] orné de longs cheveux en tresses, un petit pourpoint[3] qui serrait une taille fine et dégagée ; l'air martial[4] et doux. Il tenait dans sa main une petite bouteille d'eau des Barbades[5], et dans l'autre une espèce de bourse dans laquelle était un gobelet et de très bon biscuit de mer[6]. Il parlait français fort intelligiblement. Il présenta de son eau des Barbades à Mlle de Kerkabon et à monsieur son frère ; il en but avec eux ; il leur en fit reboire encore, et tout cela d'un air si simple et si naturel que le frère et la sœur en furent charmés. Ils lui offrirent leurs services, en lui demandant qui il était et où il allait. Le jeune homme leur répondit qu'il n'en savait rien, qu'il était curieux, qu'il avait voulu voir comment les côtes de France étaient faites, qu'il était venu, et allait s'en retourner.

Monsieur le prieur[7], jugeant à son accent qu'il n'était pas anglais, prit la liberté de lui demander de quel pays il était. « Je suis huron[8] », lui répondit le jeune homme.

Mlle de Kerkabon, étonnée et enchantée de voir un Huron qui lui avait fait des politesses, pria le jeune homme à souper ; il ne se fit pas prier deux fois, et tous trois allèrent de compagnie au prieuré de Notre-Dame de la Montagne. La courte et ronde demoiselle le regardait de tous ses petits yeux, et disait de temps en temps au prieur : « Ce grand garçon-là a un teint de lis et de rose ! qu'il a une belle peau pour un Huron ! – Vous avez raison,

---

1. **Son ajustement** : ses vêtements.
2. **Le chef** : la tête.
3. **Pourpoint** : vêtement d'homme qui couvre le buste.
4. **Martial** : décidé, viril.
5. **Eau des Barbades** : sorte de rhum antillais.
6. **De très bon biscuit de mer** : un morceau de biscuit sec dont on faisait des réserves sur les navires.
7. **Prieur** : abbé, moine dirigeant une abbaye.
8. **Huron** : membre d'une peuplade indienne vivant au Canada et en Amérique du Nord.

ma sœur », disait le prieur. Elle faisait cent questions coup sur coup, et le voyageur répondait toujours fort juste.

Le bruit[1] se répandit bientôt qu'il y avait un Huron au prieuré. La bonne compagnie du canton s'empressa d'y venir souper. L'abbé de Saint-Yves y vint avec mademoiselle sa sœur, jeune Basse-Brette[2], fort jolie et très bien élevée. Le bailli, le receveur des tailles[3] et leurs femmes furent du souper. On plaça l'étranger entre Mlle de Kerkabon et Mlle de Saint-Yves. Tout le monde le regardait avec admiration ; tout le monde lui parlait et l'interrogeait à la fois ; le Huron ne s'en émouvait pas. Il semblait qu'il eût pris pour sa devise celle de milord Bolingbroke : *nihil admirari*[4]. Mais à la fin, excédé de tant de bruit, il leur dit avec assez de douceur, mais avec un peu de fermeté : « Messieurs, dans mon pays on parle l'un après l'autre ; comment voulez-vous que je vous réponde quand vous m'empêchez de vous entendre ? » La raison fait toujours rentrer les hommes en eux-mêmes pour quelques moments. Il se fit un grand silence. Monsieur le bailli, qui s'emparait toujours des étrangers dans quelque maison qu'il se trouvât, et qui était le plus grand questionneur de la province, lui dit en ouvrant la bouche d'un demi-pied : « Monsieur, comment vous nommez-vous ? – On m'a toujours appelé *l'Ingénu*, reprit le Huron, et on m'a confirmé ce nom en Angleterre, parce que je dis toujours naïvement ce que je pense, comme je fais tout ce que je veux. »

Voltaire, *L'Ingénu* [1767], chap. 1,
Belin-Gallimard, « Classico », 2019.

---

1. **Le bruit** : la rumeur.
2. **Basse-Brette** : habitante de la Basse-Bretagne.
3. **Bailli** : agent du roi chargé des fonctions administratives et judiciaires ; **receveur des tailles** : agent chargé de collecter les impôts.
4. **Henry de Bolingbroke** (1678-1751) : homme politique britannique dont la devise, *nihil admirari*, « ne s'étonner de rien » en latin, est empruntée à une épître d'Horace, poète latin du Iᵉʳ siècle avant J.-C.

Denis Diderot, *Supplément au Voyage de Bougainville*

En 1771, l'explorateur Louis-Antoine de Bougainville publie son *Voyage autour du monde*, dans lequel il relate son escale à Tahiti. Deux ans plus tard, Denis Diderot (1713-1784) imagine un «supplément» à ce récit de voyage. Avant le départ de l'équipage, un vieillard s'adresse à Bougainville, qu'il critique vivement pour son attitude tyrannique. À travers lui, c'est l'attitude des colonisateurs occidentaux qui est violemment mise en cause.

Puis s'adressant à Bougainville, il ajouta :

«Et toi, chef des brigands qui t'obéissent, écarte promptement[1] ton vaisseau de notre rive : nous sommes innocents, nous sommes heureux ; et tu ne peux que nuire à notre bonheur. Nous suivons le pur instinct de la nature ; et tu as tenté d'effacer de nos âmes son caractère. Ici tout est à tous, et tu nous as prêché je ne sais quelle distinction du *tien* et du *mien*. Nos filles et nos femmes nous sont communes, tu as partagé ce privilège avec nous, et tu es venu allumer en elles des fureurs[2] inconnues. Elles sont devenues folles dans tes bras, tu es devenu féroce entre les leurs. Elles ont commencé à se haïr ; vous vous êtes égorgés pour elles, et elles nous sont revenues teintes de votre sang. Nous sommes libres, et voilà que tu as enfoui dans notre terre le titre de notre futur esclavage. Tu n'es ni un dieu, ni un démon : qui es-tu donc, pour faire des esclaves ? Orou[3], toi qui entends la langue de ces hommes-là, dis-nous à tous, comme tu me l'as dit à moi-même, ce qu'ils ont écrit sur cette lame de métal : *Ce pays est à nous*. Ce pays est à toi ! et pourquoi ? Parce que tu y as mis le pied ! Si un Otaïtien[4] débarquait un jour sur vos côtes et qu'il gravât sur une de vos pierres ou sur l'écorce d'un de vos arbres : *Ce pays est aux habitants d'Otaïti*, qu'en penserais-tu ? Tu es le plus fort, et qu'est-ce que cela fait ? Lorsqu'on t'a enlevé une des méprisables bagatelles

---

1. **Promptement** : rapidement.
2. **Fureurs** : passions, notamment la jalousie.
3. **Orou** : l'un des Tahitiens, qui comprend le français.
4. **Otaïtien** : Tahitien (dans ce texte, l'île de Tahiti est appelée Otaïti).

dont ton bâtiment[1] est rempli, tu t'es récrié, tu t'es vengé ; et dans le même instant tu as projeté au fond de ton cœur le vol de toute une contrée ! Tu n'es pas esclave, tu souffrirais[2] plutôt la mort que de l'être, et tu veux nous asservir ! Tu crois donc que l'Otaïtien ne sait pas défendre sa liberté et mourir ? Celui dont tu veux t'emparer comme de la brute[3], l'Otaïtien est ton frère. Vous êtes deux enfants de la nature ; quel droit as-tu sur lui qu'il n'ait pas sur toi ? Tu es venu, nous sommes-nous jetés sur ta personne ? Avons-nous pillé ton vaisseau ? T'avons-nous saisi et exposé aux flèches de nos ennemis ? T'avons-nous associé dans nos champs au travail de nos animaux ? Nous avons respecté notre image en toi. Laisse-nous nos mœurs, elles sont plus sages et plus honnêtes que les tiennes. Nous ne voulons point troquer ce que tu appelles notre ignorance contre tes inutiles lumières. Tout ce qui nous est nécessaire et bon, nous le possédons. Sommes-nous dignes de mépris, parce que nous n'avons pas su nous faire des besoins superflus ? Lorsque nous avons faim, nous avons de quoi manger ; lorsque nous avons froid, nous avons de quoi nous vêtir. Tu es entré dans nos cabanes, qu'y manque-t-il à ton avis ? Poursuis jusqu'où tu voudras ce que tu appelles commodités de la vie, mais permets à des êtres sensés de s'arrêter, lorsqu'ils n'auraient à obtenir de la continuité de leurs pénibles efforts que des biens imaginaires. Si tu nous persuades de franchir l'étroite limite du besoin, quand finirons-nous de travailler, quand jouirons-nous ? Nous avons rendu la somme de nos fatigues annuelles et journalières la moindre qu'il était possible, parce que rien ne nous paraît préférable au repos. Va dans ta contrée t'agiter, te tourmenter tant que tu voudras. Laisse-nous reposer : ne nous entête ni de tes besoins factices[4], ni de tes vertus chimériques[5]. »

Denis Diderot, *Supplément au Voyage de Bougainville* [1773], chap. 2, Belin-Gallimard, « Classico », 2011.

1. **Bâtiment** : navire.
2. **Souffrirais** : accepterais, supporterais.
3. **Comme de la brute** : comme tu le ferais d'une bête.
4. **Factices** : artificiels, faux.
5. **Chimériques** : illusoires.

L'homme, le savoir et le progrès

François Rabelais, *Pantagruel*

Le personnage de Pantagruel, un géant qui a soif de connaissance et de savoir, incarne les valeurs humanistes chères à Rabelais (v. 1494-1553). Dans cet extrait du roman, Pantagruel, qui est parti pour Paris, reçoit une lettre de son père Gargantua lui adressant des recommandations concernant son éducation.

C'est pourquoi, mon fils, je t'engage à employer ta jeunesse à bien progresser en savoir et en vertu[1]. Tu es à Paris, tu as ton précepteur Épistémon[2] : l'homme par un enseignement direct et de vive voix, la ville par de louables exemples, ont pouvoir de te former.

J'entends et veux que tu apprennes parfaitement les langues : premièrement le grec, comme le veut Quintilien[3] ; deuxièmement le latin ; puis l'hébreu pour les saintes Lettres[4], le chaldéen[5] et l'arabe pour la même raison ; et que tu formes ton style sur celui de Platon[6] pour le grec, sur celui de Cicéron[7] pour le latin. Qu'il n'y ait pas d'étude scientifique que tu ne gardes présente en ta mémoire et pour cela tu t'aideras de l'universelle encyclopédie des auteurs qui s'en sont occupés.

Des arts libéraux : géométrie, arithmétique et musique, je t'en ai donné quelque goût quand tu étais encore jeune, à cinq ou six ans ; achève le cycle ; en astronomie, apprends toutes les règles, mais laisse-moi l'astrologie et l'art de Lulle[8], comme autant de supercheries et de futilités.

---

1. Vertu : qualité morale, tendance à faire le bien.
2. Précepteur : professeur. En grec ancien, le nom de ce personnage signifie « celui qui sait ».
3. Quintilien (35-95 av. J.-C.) : professeur romain qui fondait son enseignement sur la maîtrise de l'art du discours.
4. Saintes Lettres : textes sacrés, c'est-à-dire la Bible.
5. Chaldéen : langue parlée à l'époque de Jésus-Christ en Mésopotamie.
6. Platon (428-348 av. J.-C) : philosophe grec.
7. Cicéron (106-43 av. J.-C.) : orateur, homme politique et auteur romain.
8. Allusion à l'alchimie, discipline proche de la magie, pratiquée notamment par Raymond Lulle (1232-1315).

Du droit civil[1], je veux que tu saches par cœur les beaux textes, et que tu me les mettes en parallèle avec la philosophie.

Et quant à la connaissance de l'histoire naturelle, je veux que tu t'y adonnes avec zèle[2] : qu'il n'y ait mer, rivière, ni source dont tu ignores les poissons ; tous les oiseaux du ciel, tous les arbres, arbustes, et les buissons des forêts, toutes les herbes de la terre, tous les métaux cachés au ventre des abîmes, les pierreries de tous les pays de l'Orient et du Midi, que rien ne te soit inconnu.

Puis relis soigneusement les livres des médecins grecs, arabes et latins, sans mépriser les Talmudistes et les Cabalistes[3] et, par de fréquentes dissections, acquiers une connaissance parfaite de cet autre monde qu'est l'homme. Et pendant quelques heures du jour, va voir les saintes Lettres : d'abord, en grec, le Nouveau Testament et les Épîtres des apôtres[4] puis, en hébreu, l'Ancien Testament.

En somme, que je voie un abîme de science car maintenant que tu deviens homme et te fais grand, il te faudra quitter la tranquillité et le repos de l'étude pour apprendre la chevalerie et les armes afin de défendre ma maison, et de secourir nos amis dans toutes leurs difficultés causées par les assauts des malfaiteurs.

Et je veux que, bientôt, tu mettes à l'épreuve tes progrès : cela, tu ne pourras pas mieux le faire qu'en soutenant des discussions publiques, sur tous les sujets, envers et contre tous, et qu'en fréquentant les gens lettrés[5] qui sont tant à Paris qu'ailleurs.

[...] Et, quand tu t'apercevras que tu as acquis au loin tout le savoir humain, reviens vers moi, afin que je te voie et que je te donne ma bénédiction avant de mourir.

François Rabelais, *Pantagruel* [1532], chap. 8, adapté en français moderne par G. Demerson, dans *Œuvres complètes*, Le Seuil, «Points», 1997.

1. **Droit civil** : ensemble des lois encadrant la vie en société.
2. **Zèle** : application.
3. **Talmudistes, Cabalistes** : commentateurs juifs qui expliquent l'Ancien Testament.
4. **Épîtres des apôtres** : lettres des disciples de Jésus-Christ publiées dans le Nouveau Testament.
5. **Lettrés** : instruits.

Jean-Jacques Rousseau, *Discours sur les sciences et les arts*

En 1750, l'Académie des sciences et des arts de Dijon lance un concours, appelant à répondre à la question suivante : l'essor de la science et des arts peut-il améliorer la nature et la vie des hommes ? Le philosophe Jean-Jacques Rousseau (1712-1778) remporte le concours avec un texte qui souligne les dangers de la connaissance, développant une thèse inattendue pour un esprit des Lumières. Voici la conclusion de la première partie de son *Discours*.

Groupements de textes

Voilà comment le luxe, la dissolution[1] et l'esclavage ont été de tout temps le châtiment des efforts orgueilleux que nous avons faits pour sortir de l'heureuse ignorance où la sagesse éternelle[2] nous avait placés. Le voile épais dont elle a couvert toutes ses opérations, semblait nous avertir assez qu'elle ne nous a point destinés à de vaines recherches. Mais est-il quelqu'une de ses leçons dont nous ayons su profiter, ou que nous ayons négligée impunément[3] ? Peuples, sachez donc une fois[4] que la nature a voulu vous préserver de la science, comme une mère arrache une arme dangereuse des mains de son enfant ; que tous les secrets qu'elle vous cache sont autant de maux dont elle vous garantit, et que la peine que vous trouvez à vous instruire n'est pas le moindre de ses bienfaits. Les hommes sont pervers ; ils seraient pires encore, s'ils avaient eu le malheur de naître savants.

Que ces réflexions sont humiliantes pour l'humanité ! Que notre orgueil en doit être mortifié[5] ! Quoi ! La probité[6] serait fille de l'ignorance ? La science et la vertu seraient incompatibles ? Quelles conséquences ne tirerait-on point de ces préjugés ? Mais pour concilier ces contrariétés apparentes, il ne faut qu'examiner de près la vanité et le néant[7] de ces titres orgueilleux qui nous éblouissent, et que nous donnons si gratuitement aux

1. **Dissolution** : débauche.
2. **Sagesse éternelle** : sagesse de Dieu.
3. **Impunément** : sans en être punis.
4. **Une fois** : bien.
5. **Mortifié** : humilié.
6. **Probité** : honnêteté, pureté.
7. **La vanité et le néant** : le caractère vain, inutile et prétentieux.

connaissances humaines. Considérons donc les sciences et les arts en eux-mêmes. Voyons ce qui doit résulter de leur progrès ; et ne balançons plus[1] à convenir de tous les points où nos raisonnements se trouveront d'accord avec les inductions historiques[2].

Jean-Jacques Rousseau, *Discours sur les sciences et les arts* [1750], première partie, Gallimard, « Folio essais », 1997.

Gustave Flaubert, *Bouvard et Pécuchet*

Bouvard et Pécuchet sont les protagonistes du roman du même nom écrit par Gustave Flaubert (1821-1880) et publié après sa mort. Les deux amis, hommes médiocres aux grandes ambitions, partagent un rêve commun : devenir de véritables savants. Ils se lancent dans toutes sortes d'expériences mais échouent à chaque entreprise. Dans cet extrait, dans lequel l'ironie de Flaubert s'exprime à travers celle du narrateur, ils tentent de comprendre la chaleur produite par le corps.

Est-il vrai que la surface de notre corps dégage perpétuellement une vapeur subtile[3] ? La preuve, c'est que le poids d'un homme décroît à chaque minute. Si chaque jour s'opère l'addition de ce qui manque et la soustraction de ce qui excède, la santé se maintiendra en parfait équilibre. Sanctorius[4], l'inventeur de cette loi, employa un demi-siècle à peser quotidiennement sa nourriture avec toutes ses excrétions[5], et se pesait lui-même, ne prenant de relâche que pour écrire ses calculs.

Ils essayèrent d'imiter Sanctorius. Mais comme leur balance ne pouvait les supporter tous les deux, ce fut Pécuchet qui commença.

Il retira ses habits, afin de ne pas gêner la perspiration[6] – et il se tenait sur le plateau, complètement nu, laissant voir, malgré la pudeur, son torse très long pareil à un cylindre, avec des

---

1. **Ne balançons plus** : n'hésitons plus.
2. **Inductions historiques** : vérités prouvées par l'Histoire.
3. **Subtile** : d'une grande finesse, presque imperceptible.
4. **Santorio Sanctorius** (1561-1636) : médecin italien.
5. **Excrétions** : urine et excréments.
6. **Perspiration** : transpiration.

jambes courtes, les pieds plats et la peau brune. À ses côtés, sur une chaise, son ami lui faisait la lecture.

Des savants prétendent que la chaleur animale se développe par les contractions musculaires, et qu'il est possible en agitant le thorax et les membres pelviens[1] de hausser la température d'un bain tiède.

Bouvard alla chercher leur baignoire – et quand tout fut prêt, il s'y plongea, muni d'un thermomètre.

Les ruines de la distillerie[2] balayées vers le fond de l'appartement dessinaient dans l'ombre un vague monticule. On entendait par intervalles le grignotement des souris ; une vieille odeur de plantes aromatiques s'exhalait – et se trouvant là fort bien ils causaient avec sérénité.

Cependant Bouvard sentait un peu de fraîcheur.

– Agite tes membres ! dit Pécuchet.

Il les agita, sans rien changer au thermomètre.

– C'est froid, décidément.

– Je n'ai pas chaud, non plus, reprit Pécuchet, saisi lui-même par un frisson. Mais agite tes membres pelviens ! Agite-les !

Bouvard ouvrait les cuisses, se tordait les flancs[3], balançait son ventre, soufflait comme un cachalot, puis regardait le thermomètre, qui baissait toujours.

– Je n'y comprends rien ! Je me remue, pourtant !

– Pas assez !

Et il reprenait sa gymnastique.

Elle avait duré trois heures, quand une fois encore il empoigna le tube.

– Comment ! douze degrés ! Ah ! bonsoir ! je me retire !

Un chien entra, moitié dogue moitié braque, le poil jaune, galeux[4], la langue pendante. Que faire ? pas de sonnettes[5] ! et leur domestique était sourde. Ils grelottaient mais n'osaient bouger, dans la peur d'être mordus.

---

1. Membres pelviens : membres inférieurs, qui dépendent du bassin.
2. Dans le chapitre 2, Bouvard et Pécuchet se sont essayés à la distillation. Leurs expériences ont mal tourné et l'alambic (appareil destiné à la séparation de liquides par chauffage puis refroidissement) a explosé.
3. Flancs : côtés.
4. Dogue : chien puissant ; **braque** : chien de chasse ; **galeux** : infesté de parasites.
5. Sonnettes : petites cloches utilisées pour appeler les domestiques.

Pécuchet crut habile de lancer des menaces, en roulant des yeux.

Alors le chien aboya ; — et il sautait autour de la balance, où Pécuchet, se cramponnant aux cordes, et pliant les genoux, tâchait de s'élever le plus haut possible.

Gustave Flaubert, Bouvard et Pécuchet [1880, posth.], chap. 3,
Gallimard, «Folio classique», 1999.

Paul Valéry, *La Crise de l'esprit*

Après la Première Guerre mondiale, la désillusion sur le genre humain saisit les artistes et les grands penseurs. On s'interroge sur l'intelligence, la science et le progrès au vu des massacres commis durant les combats grâce à de nouvelles techniques. Dans ce recueil au titre éloquent, *La Crise de l'esprit*, Paul Valéry (1871-1945) rassemble des lettres qui témoignent de ces questionnements.

Nous autres, civilisations, nous savons maintenant que nous sommes mortelles.

Nous avions entendu parler de mondes disparus tout entiers, d'empires coulés à pic avec tous leurs hommes et tous leurs engins ; descendus au fond inexplorable des siècles avec leurs dieux et leurs lois, leurs académies et leurs sciences pures et appliquées, avec leurs grammaires, leurs dictionnaires, leurs classiques, leurs romantiques et leurs symbolistes[1], leurs critiques et les critiques de leurs critiques. Nous savions bien que toute la terre apparente est faite de cendres, que la cendre signifie quelque chose. Nous apercevions à travers l'épaisseur de l'histoire, les fantômes d'immenses navires qui furent chargés de richesse et d'esprit. Nous ne pouvions pas les compter. Mais ces naufrages, après tout, n'étaient pas notre affaire.

Élam, Ninive, Babylone[2] étaient de beaux noms vagues, et la ruine totale de ces mondes avait aussi peu de signification pour

---

1. Classiques, romantiques, symbolistes : auteurs et œuvres se rattachant aux courants artistiques du classicisme (XVIIe siècle), du romantisme et du symbolisme (XIXe siècle).
2. Élam, Ninive, Babylone : pays et villes antiques de Mésopotamie, aujourd'hui disparus.

nous que leur existence même. Mais France, Angleterre, Russie…
ce seraient aussi de beaux noms. *Lusitania*[1] aussi est un beau
nom. Et nous voyons maintenant que l'abîme de l'histoire est
assez grand pour tout le monde. Nous sentons qu'une civilisation
a la même fragilité qu'une vie. Les circonstances qui enverraient
les œuvres de Keats et celles de Baudelaire rejoindre les œuvres
de Ménandre[2] ne sont plus du tout inconcevables : elles sont dans
les journaux.

Ce n'est pas tout. La brûlante leçon est plus complète encore.
Il n'a pas suffi à notre génération d'apprendre par sa propre
expérience comment les plus belles choses et les plus antiques, et
les plus formidables et les mieux ordonnées sont périssables par
accident ; elle a vu, dans l'ordre de la pensée, du sens commun,
et du sentiment, se produire des phénomènes extraordinaires,
des réalisations brusques de paradoxes, des déceptions brutales
de l'évidence.

Je n'en citerai qu'un exemple : les grandes vertus des peuples
allemands ont engendré plus de maux que l'oisiveté jamais n'a
créé de vices[3]. Nous avons vu, de nos yeux vu, le travail conscien-
cieux, l'instruction la plus solide, la discipline et l'application les
plus sérieuses, adaptés à d'épouvantables desseins[4].

Tant d'horreurs n'auraient pas été possibles sans tant de vertus. Il a fallu, sans doute, beaucoup de science pour tuer tant
d'hommes, dissiper tant de biens, anéantir tant villes en si peu
de temps ; mais il a fallu non moins de qualités morales. Savoir et
Devoir, vous êtes donc suspects ?

Paul Valéry, *La Crise de l'esprit* [1919] première lettre, dans *Variété I et II*,
Gallimard, «Folio essais», 1998.

---

1. *Lusitania* : nom d'un paquebot britannique torpillé en mai 1917 par un sous-
marin allemand. À son bord se trouvaient 1200 passagers et un chargement secret
de munitions.
2. John Keats (1795-1821) : poète anglais ; **Charles Baudelaire** (1821-1867) : poète
français ; **Ménandre** (343-292 av. J.-C.) : dramaturge grec.
3. Oisiveté : passivité, paresse ; **vices** : penchants contraires à la morale. Allusion
au proverbe : «L'oisiveté est mère de tous les vices» soulignant les vertus du travail.
4. Desseins : intentions, projets.

George Orwell, *1984*

Dans *1984*, l'écrivain britannique George Orwell (1903-1950) imagine une société futuriste totalitaire dans laquelle la population est sous contrôle et où le progrès technique est un instrument d'oppression: dans chaque foyer, un «télécran» place sous vidéosurveillance les occupants. Winston Smith, héros du roman, est un fonctionnaire qui travaille au ministère de la Vérité. Le premier chapitre décrit ce personnage et son appartement.

À chaque palier, sur une affiche collée au mur, face à la cage de l'ascenseur, l'énorme visage vous fixait du regard. C'était un de ces portraits arrangés de telle sorte que les yeux semblent suivre celui qui passe. Une légende, sous le portrait, disait: BIG BROTHER VOUS REGARDE. À l'intérieur de l'appartement de Winston, une voix sucrée faisait entendre une série de nombres qui avaient trait à la production de la fonte[1]. La voix provenait d'une plaque de métal oblongue[2], miroir terne encastré dans le mur de droite. Winston tourna un bouton et la voix diminua de volume, mais les mots étaient encore distincts. Le son de l'appareil (du télécran, comme on disait) pouvait être assourdi, mais il n'y avait aucun moyen de l'éteindre complètement. Winston se dirigea vers la fenêtre. Il était de stature frêle, plutôt petite, et sa maigreur était soulignée par la combinaison bleue, uniforme du Parti. [...]

Au-dehors, même à travers le carreau de la fenêtre fermée, le monde paraissait froid. Dans la rue, de petits remous de vent faisaient tourner en spirale la poussière et le papier déchiré. Bien que le soleil brillât et que le ciel fût d'un bleu dur, tout semblait décoloré, hormis les affiches collées partout. De tous les carrefours importants, le visage à la moustache noire vous fixait du regard. Il y en avait un sur le mur d'en face. BIG BROTHER VOUS REGARDE, répétait la légende, tandis que le regard des yeux noirs pénétrait les yeux de Winston. Au niveau de la rue, une autre affiche, dont un angle était déchiré, battait par à-coups dans le vent, couvrant et découvrant alternativement un seul mot:

---

1. Fonte: alliage de fer et de carbone utilisé en industrie.
2. Oblongue: ovale.

ANGSOC[1]. Au loin, un hélicoptère glissa entre les toits, plana un moment, telle une mouche bleue, puis repartit comme une flèche, dans un vol courbe. C'était une patrouille qui venait mettre le nez aux fenêtres des gens. Mais les patrouilles n'avaient pas d'importance. Seule comptait la Police de la Pensée.

Derrière Winston, la voix du télécran continuait à débiter des renseignements sur la fonte et sur le dépassement des prévisions pour le neuvième plan triennal[2]. Le télécran recevait et transmettait simultanément. Il captait tous les sons émis par Winston au-dessus d'un chuchotement très bas. De plus, tant que Winston demeurait dans le champ de vision de la plaque de métal, il pouvait être vu aussi bien qu'entendu. Naturellement, il n'y avait pas moyen de savoir si, à un moment donné, on était surveillé. Combien de fois, et suivant quel plan, la Police de la Pensée se branchait-elle sur une ligne individuelle quelconque, personne ne pouvait le savoir. On pouvait même imaginer qu'elle surveillait tout le monde, constamment. Mais de toute façon, elle pouvait mettre une prise sur votre ligne chaque fois qu'elle le désirait. On devait vivre, on vivait, car l'habitude devient instinct, en admettant que tout son émis était entendu et que, sauf dans l'obscurité, tout mouvement était perçu.

Winston restait le dos tourné au télécran. Bien qu'un dos, il le savait, pût être révélateur, c'était plus prudent.

George Orwell, *1984* [1949], chap. 1, trad. de l'anglais par A. Audiberti, Gallimard, « Folio », 1972.

---

1. ANGSOC : en novlangue, la langue officielle d'Océania, « socialisme anglais », nom du régime politique imposé en Océania, où vit le héros.
2. Plan triennal : programme s'appliquant sur trois ans.

Questions sur les groupements de textes

■ Voyage et découverte de l'autre au xviiiᵉ siècle

1. Caractérisez le regard porté sur l'autre dans chacun de ces textes. Montrez que les attitudes et réactions des personnages sont des outils de la critique pour chacun des auteurs.

2. Rendez-vous sur le site **www.allocine.fr** Faites une recherche afin de visionner la bande-annonce du film de Steven Spielberg *E. T. l'extra-terrestre*. Étudiez les plans qui montrent les émotions éprouvées par les personnages (expressions des visages, gestuelles, paroles) au contact de l'autre. Expliquez en quoi cette bande-annonce se rapproche des textes du groupement.

■ L'homme, le savoir et le progrès

1. Comparez l'image qui est donnée de la connaissance et du progrès dans ces différents textes. Vous analyserez les moyens choisis (genre et forme) par chaque auteur pour rendre son argumentation efficace.

2. Rendez-vous sur le site **http://expositions.bnf.fr/lumieres** Cliquez sur « L'exposition », puis « La science ». Lisez ce chapitre et observez attentivement les documents iconographiques qui accompagnent le dossier. Sélectionnez-en quatre et réalisez un diaporama : vous présenterez les œuvres en justifiant votre choix, puis vous comparerez la vision qu'elles donnent du savoir à celle qui se dégage des textes du groupement.

Vers l'écrit du Bac

L'épreuve écrite du Bac de français s'appuie sur un corpus (ensemble de textes et de documents iconographiques). Le sujet se compose de deux parties : une ou deux questions portant sur le corpus puis trois travaux d'écriture au choix (commentaire, dissertation, écriture d'invention).

Sujet **Abus de pouvoir**

Objet d'étude *Genres et formes de l'argumentation : XVIIᵉ et XVIIIᵉ siècles*

Corpus

Texte A   Jean de La Fontaine, « Les Animaux malades de la peste », *Fables*

Texte B   Jean de La Bruyère, « De la cour », *Les Caractères*

Texte C   Denis Diderot, « Autorité politique », *Encyclopédie*

Texte D   Voltaire, *Micromégas*

▶ **Texte A**

Jean de La Fontaine, « Les Animaux malades de la peste », *Fables* (1678)

Lorsque La Fontaine rédige « Les Animaux malades de la peste », on ne sait pas soigner cette maladie très redoutée, responsable d'épidémies meurtrières. La croyance commune veut qu'un tel fléau soit envoyé par Dieu pour punir les hommes de leurs mauvaises actions. Dans cette fable, le Lion, roi des animaux, rassemble les bêtes pour trouver un coupable.

> Un mal qui répand la terreur,
> Mal que le Ciel en sa fureur
> Inventa pour punir les crimes de la Terre,
> La peste (puisqu'il faut l'appeler par son nom)
> Capable d'enrichir en un jour l'Achéron[1],
> Faisait aux animaux la guerre.
> Ils ne mouraient pas tous, mais tous étaient frappés :
> On n'en voyait point d'occupés
> À chercher le soutien[2] d'une mourante vie ;
> Nul mets n'excitait leur envie ;
> Ni Loups ni Renards n'épiaient
> La douce et l'innocente proie.
> Les Tourterelles se fuyaient :
> Plus d'amour, partant plus de joie.
> Le Lion tint conseil, et dit : Mes chers amis,
> Je crois que le Ciel a permis
> Pour nos péchés cette infortune ;
> Que le plus coupable de nous
> Se sacrifie aux traits du céleste courroux[3],
> Peut-être il obtiendra la guérison commune.
> L'histoire nous apprend qu'en de tels accidents
> On fait de pareils dévouements :
> Ne nous flattons donc point ; voyons sans indulgence
> L'état de notre conscience.

1. **Achéron** : dans la mythologie grecque, fleuve des Enfers que les morts doivent traverser.
2. **Soutien** : maintien, préservation.
3. **Aux traits du céleste courroux** : à la colère de Dieu.

Pour moi, satisfaisant mes appétits gloutons
       J'ai dévoré force[1] moutons.
       Que m'avaient-ils fait ? Nulle offense :
Même il m'est arrivé quelquefois de manger
       Le Berger.
Je me dévouerai donc, s'il le faut ; mais je pense
Qu'il est bon que chacun s'accuse ainsi que moi :
Car on doit souhaiter selon toute justice
       Que le plus coupable périsse.
– Sire, dit le Renard, vous êtes trop bon Roi ;
Vos scrupules font voir trop de délicatesse ;
Et bien, manger moutons, canaille, sotte espèce,
Est-ce un péché ? Non, non. Vous leur fîtes Seigneur
       En les croquant beaucoup d'honneur.
       Et quant au Berger l'on peut dire
       Qu'il était digne de tous maux,
Étant de ces gens-là qui sur les animaux
       Se font un chimérique empire[2].
Ainsi dit le Renard, et flatteurs d'applaudir[3].
       On n'osa trop approfondir
Du Tigre, ni de l'Ours, ni des autres puissances,
       Les moins pardonnables offenses.
Tous les gens querelleurs, jusqu'aux simples mâtins[4],
Au dire de chacun, étaient de petits saints.
L'Âne vint à son tour et dit : J'ai souvenance
       Qu'en un pré de Moines passant,
La faim, l'occasion, l'herbe tendre, et je pense
       Quelque diable aussi me poussant,
Je tondis de ce pré la largeur de ma langue.
Je n'en avais nul droit, puisqu'il faut parler net.
À ces mots on cria haro sur[5] le baudet.
Un Loup quelque peu clerc[6] prouva par sa harangue[7]

---

1. **Force** : beaucoup de.
2. **Chimérique empire** : pouvoir illusoire et illégitime.
3. **Et flatteurs d'applaudir** : et les flatteurs approuvèrent.
4. **Mâtins** : chiens de berger.
5. **On cria haro sur** : on s'indigna contre.
6. **Clerc** : prêcheur, faiseur de discours (un clerc est un membre du clergé).
7. **Harangue** : discours destiné à convaincre une assemblée.

Qu'il fallait dévouer ce maudit animal,
Ce pelé, ce galeux, d'où venait tout leur mal.
Sa peccadille fut jugée un cas pendable[1].
Manger l'herbe d'autrui ! Quel crime abominable !
        Rien que la mort n'était capable
D'expier son forfait[2] : on le lui fit bien voir.
Selon que vous serez puissant ou misérable,
Les jugements de cour vous rendront blanc ou noir.

Jean de La Fontaine,
« Les Animaux malades de la peste », *Fables*, livre VII, 1678.

▶ Texte B
Jean de La Bruyère, « De la cour », *Les Caractères* (1688)

Les Caractères rassemblent des fragments hétéroclites tels que des portraits, des réflexions et des maximes, à travers lesquels Jean de La Bruyère observe la société de son temps. Dans l'extrait suivant, il revêt le masque d'un narrateur étranger s'étonnant des mœurs d'une cour présentée comme indéfinie, mais derrière laquelle le lecteur peut identifier une réalité bien précise...

L'on parle d'une région où les vieillards sont galants, polis et civils[3] ; les jeunes gens au contraire, durs, féroces, sans mœurs ni politesse : ils se trouvent affranchis[4] de la passion des femmes dans un âge où l'on commence ailleurs à la sentir ; ils leur préfèrent des repas, des viandes, et des amours ridicules. Celui-là[5] chez eux est sobre et modéré, qui ne s'enivre que de vin : l'usage trop fréquent qu'ils en ont fait le leur a rendu insipide ; ils cherchent à réveiller leur goût déjà éteint par des eaux-de-vie, et par toutes les liqueurs les plus violentes ; il ne manque à leur débauche que de boire

---

1. **Peccadille** : faute sans gravité ; **pendable** : qui mériterait d'être puni de pendaison.
2. **Expier son forfait** : réparer sa faute par une peine imposée.
3. **Civils** : courtois.
4. **Affranchis** : libérés.
5. **Celui-là** : untel, quelqu'un.

de l'eau-forte[1]. Les femmes du pays précipitent le déclin de leur beauté par des artifices qu'elles croient servir à les rendre belles : leur coutume est de peindre leurs lèvres, leurs joues, leurs sourcils et leurs épaules, qu'elles étalent avec leur gorge[2], leurs bras et leurs oreilles, comme si elles craignaient de cacher l'endroit par où elles pourraient plaire, ou de ne pas se montrer assez. Ceux qui habitent cette contrée ont une physionomie[3] qui n'est pas nette, mais confuse, embarrassée dans une épaisseur de cheveux étrangers, qu'ils préfèrent aux naturels et dont ils font un long tissu pour couvrir leur tête : il descend à la moitié du corps, change les traits, et empêche qu'on ne connaisse les hommes à leur visage. Ces peuples d'ailleurs ont leur Dieu et leur roi : les grands[4] de la nation s'assemblent tous les jours, à une certaine heure, dans un temple qu'ils nomment église ; il y a au fond de ce temple un autel[5] consacré à leur Dieu, où un prêtre célèbre des mystères[6] qu'ils appellent saints, sacrés et redoutables ; les grands forment un vaste cercle au pied de cet autel, et paraissent debout, le dos tourné directement au prêtre et aux saints mystères, et les faces élevées vers leur roi, que l'on voit à genoux sur une tribune, et à qui ils semblent avoir tout l'esprit et tout le cœur appliqués. On ne laisse pas[7] de voir dans cet usage une espèce de subordination[8] ; car ce peuple paraît adorer le prince, et le prince adorer Dieu. Les gens du pays le[9] nomment *** ; il est à quelque quarante-huit degrés d'élévation du pôle, et à plus d'onze cents lieues[10] de mer des Iroquois et des Hurons[11].

Jean de La Bruyère, « De la cour », Les Caractères, 1688.

---

1. **Eau-forte** : alcool très fort.
2. **Gorge** : poitrine.
3. **Physionomie** : apparence.
4. **Les grands** : les puissants.
5. **Autel** : table sacrée utilisée dans la religion chrétienne pour célébrer la messe.
6. **Mystères** : enseignements secrets réservés à des initiés.
7. **On ne laisse pas** : on ne manque pas, on ne peut s'empêcher.
8. **Subordination** : relation de dépendance au sein d'une hiérarchie.
9. **Le** : ce pays.
10. **Lieues** : anciennes unités de mesure de longueur (1 lieue équivaut à environ 4 kilomètres).
11. **Iroquois, Hurons** : Indiens d'Amérique du Nord.

Denis Diderot, « Autorité politique », *Encyclopédie* (1751)

L'*Encyclopédie*, œuvre emblématique des Lumières, est un vaste ensemble d'articles portant sur tous les sujets, qui témoigne du désir de rassembler et de transmettre les connaissances humaines. L'extrait suivant est tiré de l'article « Autorité politique », rédigé par Denis Diderot. Le philosophe s'y interroge sur les conditions dans lesquelles une autorité politique peut être légitime. Son propos, apparemment très général, cache une critique de la monarchie française de son temps.

Aucun homme n'a reçu de la nature le droit de commander aux autres. La liberté est un présent du Ciel, et chaque individu de la même espèce a le droit d'en jouir aussitôt qu'il jouit de la raison. Si la nature a établi quelque autorité, c'est la puissance paternelle : mais la puissance paternelle a ses bornes ; et dans l'état de nature, elle finirait aussitôt que les enfants seraient en état de se conduire[1]. Toute autre autorité vient d'une autre origine que la nature. Qu'on examine bien et on la fera toujours remonter à l'une de ces deux sources : ou la force et la violence de celui qui s'en est emparé ; ou le consentement de ceux qui s'y sont soumis par un contrat fait ou supposé entre eux et celui à qui ils ont déféré[2] l'autorité.

La puissance qui s'acquiert par la violence n'est qu'une usurpation[3] et ne dure qu'autant que la force de celui qui commande l'emporte sur celle de ceux qui obéissent : en sorte que, si ces derniers deviennent à leur tour les plus forts, et qu'ils secouent le joug[4], ils le font avec autant de droit et de justice que l'autre qui le leur avait imposé. La même loi qui a fait l'autorité la défait alors : c'est la loi du plus fort.

Quelquefois l'autorité qui s'établit par la violence change de nature ; c'est lorsqu'elle continue et se maintient du consentement exprès[5] de ceux qu'on a soumis : mais elle rentre par là dans la

---

1. **Se conduire** : diriger eux-mêmes leur comportement.
2. **Déféré** : confié.
3. **Usurpation** : appropriation d'une chose de façon indue, illégitime.
4. **Joug** : contrainte
5. **Du consentement exprès** : avec l'autorisation explicite.

seconde espèce dont je vais parler et celui qui se l'était arrogée[1] devenant alors prince cesse d'être tyran.

La puissance, qui vient du consentement des peuples, suppose nécessairement des conditions qui en rendent l'usage légitime, utile à la société, avantageux à la république, et qui la fixent et la restreignent entre des limites ; car l'homme ne doit ni ne peut se donner entièrement sans réserve à un autre homme, parce qu'il a un maître supérieur au-dessus de tout, à qui seul il appartient tout entier. C'est Dieu, jaloux absolu, qui ne perd jamais de ses droits et ne les communique[2] point. Il permet pour le bien commun et pour le maintien de la société que les hommes établissent entre eux un ordre de subordination, qu'ils obéissent à l'un d'eux ; mais il veut que ce soit par raison et avec mesure, et non pas aveuglément et sans réserve afin que la créature ne s'arroge pas les droits du créateur. Toute autre soumission est le véritable crime de l'idolâtrie[3].

Denis Diderot, « Autorité politique », *Encyclopédie*, 1751.

Vers l'écrit du Bac

▶ Texte D
Voltaire, *Micromégas* (1752)

Quant à son esprit, c'est un des plus cultivés que nous ayons ; il sait beaucoup de choses ; il en a inventé quelques-unes : il n'avait pas encore deux cent cinquante ans, et il étudiait, selon la coutume, au collège des jésuites de sa planète, lorsqu'il devina, par la force de son esprit, plus de cinquante propositions d'Euclide[4]. C'est dix-huit de plus que Blaise Pascal[5], lequel, après en avoir deviné trente-deux en se jouant, à ce que dit sa sœur, devint

---

1. Arrogée : octroyée, attribuée de sa propre décision, sans y avoir droit.
2. Communique : ici, partage.
3. Idolâtrie : culte rendu à une idole, c'est-à-dire à un objet représentant une divinité (attitude condamnée par l'Ancien Testament).
4. Euclide (IIIe s. av. J.-C.) : mathématicien grec qui a établi des propositions, c'est-à-dire des énoncés destinés à être démontrés ou réfutés.
5. Blaise Pascal (1623-1662) : homme de lettres et savant français. Voltaire s'est attaqué à certaines de ses idées sur l'homme et sur la religion dans ses *Lettres philosophiques* (1734).

depuis un géomètre assez médiocre, et un fort mauvais métaphysicien[1]. Vers les quatre cent cinquante ans, au sortir de l'enfance, il disséqua beaucoup de ces petits insectes qui n'ont pas cent pieds[2] de diamètre, et qui se dérobent aux microscopes ordinaires ; il en composa un livre fort curieux, mais qui lui fit quelques affaires. Le muphti[3] de son pays, grand vétillard[4] et fort ignorant, trouva dans son livre des propositions suspectes, malsonnantes, téméraires, hérétiques, sentant l'hérésie[5], et le poursuivit vivement : il s'agissait de savoir si la forme substantielle des puces de Sirius était de même nature que celle des colimaçons[6]. Micromégas se défendit avec esprit ; il mit les femmes de son côté ; le procès dura deux cent vingt ans. Enfin le muphti fit condamner le livre par des jurisconsultes[7] qui ne l'avaient pas lu, et l'auteur eut ordre de ne paraître à la cour de huit cents années.

Il ne fut que médiocrement affligé d'être banni d'une cour qui n'était remplie que de tracasseries et de petitesses. Il fit une chanson fort plaisante contre le muphti, dont celui-ci ne s'embarrassa guère ; et il se mit à voyager de planète en planète, pour achever de se former *l'esprit et le cœur*, comme l'on dit.

Voltaire, *Micromégas*, chap. 1, 1752.

1. **Métaphysicien** : personne qui étudie ce qui dépasse le monde physique (comme l'origine et le sens du monde), c'est-à-dire ce qui n'est pas fondé sur des preuves concrètes.
2. **Pieds** : anciennes unités de mesure de longueur (1 pied équivaut à environ 30 centimètres).
3. **Muphti** : religieux chargé d'interpréter la loi musulmane.
4. **Vétillard** : qui s'attache excessivement aux détails.
5. **Hérésie** : pensée ou doctrine qui diffère de celle de l'Église catholique.
6. **Colimaçons** : escargots.
7. **Jurisconsultes** : personnes spécialisées dans la science du droit et des lois.

■ *Questions sur le corpus*

(4 points pour les séries générales ou 6 points pour les séries technologiques)

1. Identifiez le genre auquel appartient chacun des textes du corpus puis expliquez en quoi chacun d'eux relève de l'argumentation directe ou indirecte.

2. Pour chacun des textes du corpus, identifiez les cibles de la critique (personnes, institutions) et dites quel(s) reproche(s) leur est (sont) fait(s).

■ *Travaux d'écriture*

(16 points pour les séries générales ou 14 points pour les séries technologiques)

Commentaire (séries générales)

Vous ferez le commentaire du texte de Denis Diderot (texte C).

Commentaire (séries technologiques)

Vous ferez le commentaire du texte de Jean de La Fontaine (texte A) en vous aidant du parcours de lecture suivant :

– Vous étudierez d'abord comment la fable met en scène des animaux pour apporter un côté plaisant, ayant pour but de divertir le lecteur.

– Vous montrerez ensuite que la fable a une vocation beaucoup plus sérieuse, qu'elle dénonce l'injustice et critique les abus de pouvoir.

Dissertation

Selon vous, la fiction est-elle plus efficace qu'un discours ouvertement critique pour dénoncer les abus de pouvoir et l'injustice ?

Vous répondrez à cette question de manière argumentée en vous appuyant sur les textes du corpus ainsi que sur les œuvres étudiées en classe et sur vos lectures personnelles.

Écriture d'invention

Vous réalisez une encyclopédie du monde moderne à la manière de l'*Encyclopédie* des Lumières. Vous devez rédiger l'article « Pouvoir » de façon à le rendre parlant pour un lectorat contemporain.

Vous veillerez à respecter les codes de la rédaction d'un article de dictionnaire en adoptant un style apparemment neutre. Vous ferez néanmoins sentir votre regard critique en utilisant des détours argumentatifs tels que l'ironie ou le regard étranger.

Fenêtres sur...

Des ouvrages à lire

D'autres contes philosophiques de Voltaire

- Voltaire, *Zadig ou la Destinée* [1748], Belin-Gallimard, « Classico », 2010.
- Voltaire, *Candide ou l'Optimisme* [1759], Belin-Gallimard, « Classico », 2009.
- Voltaire, *L'Ingénu* [1767], Belin-Gallimard, « Classico », 2019.

Un dictionnaire philosophique

- Voltaire, *Dictionnaire philosophique* [1764], Gallimard, « Folio classique », 1994.

D'autres récits des Lumières

- Montesquieu, *Lettres persanes* [1721], Belin-Gallimard, « Classico », 2019.
- Jonathan Swift, *Voyages de Gulliver* [1721], Gallimard, « Folio classique », 1976.
- Denis Diderot, *Supplément au voyage de Bougainville* [1773], Belin-Gallimard, « Classico », 2011.

Des pièces de théâtre qui critiquent la société

- Marivaux, *L'Île des esclaves* [1725], Belin-Gallimard, « Classico », 2010.
- Beaumarchais, *Le Mariage de Figaro* [1784], Belin-Gallimard, « Classico », 2019.

Sur Voltaire

- Jacques Van den Heuvel, *Voltaire dans ses contes*, Armand Colin, 1967.
- Jean Goldzink, *Voltaire, la légende de Saint-Arouet*, Gallimard, « Découvertes Gallimard », 1989.
- John Gray, *Voltaire et les Lumières*, Le Seuil, « Points », 2000.

Des films et des adaptations théâtrales à voir

(Toutes les œuvres citées ci-dessous sont disponibles en DVD ou visibles sur Internet.)

Des adaptations au théâtre

- Adaptation et mise en scène de Virginie Kay, Le Petit Théâtre, Bordeaux, 2013.
- Adaptation et mise en scène à l'aide de marionnettes de Ezéquiel Garcia-Romeu, Théâtre Granit, Belfort, 2003.

Des films qui jouent sur le gigantisme et la relativité

- Masao Kuroda et Sanae Yamamoto, *Gariba no Uchu Ryoko (Les Voyages de Gulliver dans l'espace)*, film d'animation, 1965.
- Joe Johnston, *Chérie, j'ai rétréci les gosses*, avec Rick Moranis et Matt Frewer, 1989.
- Claude Nuridsany et Marie Pérennou, *Microcosmos : le Peuple de l'herbe*, 1996.
- Peter Hewitt, *Le Monde des Borrowers*, avec John Goodman, 1998.
- Rob Letterman, *Les Voyages de Gulliver*, avec Jack Black, 2010.

Des courts-métrages sur le voyage interstellaire

- Georges Méliès, *Le Voyage de Gulliver à Lilliput et chez les géants*, 1902.
- Georges Méliès, *Le Voyage dans la Lune* [1902], version restaurée et colorisée, 2011.
- Thomas Edison, *A trip to Mars*, 1910.

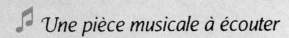

Une pièce musicale à écouter

- Paul Méfano, *Micromégas, action lyrique en sept tableaux*, 1978.

@ Des sites Internet à consulter

Des œuvres de Voltaire en ligne
- http://athena.unige.ch/athena/voltaire/voltaire.html

Une exposition virtuelle sur le siècle des Lumières
- expositions.bnf.fr/lumieres/

Sur la peinture du siècle des Lumières
- www.culture.gouv.fr/lumiere/documents/musee_virtuel.html

Glossaire

Antiphrase : figure de style relevant de l'ironie, qui consiste à dire l'inverse de ce que l'on veut faire comprendre.

Apologue : court récit plaisant à visée didactique.

Argumenter : soutenir une opinion à l'aide d'arguments afin d'emporter l'adhésion de l'interlocuteur ou du lecteur.

Argumentation directe : ensemble de procédés par lesquels l'auteur expose explicitement une thèse. Les genres qui développent une argumentation directe sont le discours, l'article, la lettre ouverte, le pamphlet, l'essai.

Argumentation indirecte : ensemble de procédés par lesquels l'auteur utilise la fiction pour énoncer une thèse de façon indirecte. Les genres qui développent une argumentation indirecte sont le conte philosophique, la fable, l'utopie, la parabole.

Conte philosophique : récit mélangeant les éléments du conte traditionnel à une réflexion philosophique à visée didactique. Ce genre est né au XVIIIe siècle, Voltaire en est l'auteur le plus représentatif.

Convaincre : obtenir l'adhésion de l'interlocuteur ou du lecteur par un raisonnement fondé sur la logique et la raison.

Déisme : croyance en l'existence d'un dieu sans obéissance à une religion, c'est-à-dire à des textes sacrés ou à une institution religieuse. Le déisme se vit donc de manière personnelle. Voltaire se définissait comme déiste.

Didactique : qui a pour but d'apporter un enseignement, d'instruire.

Dispute : type de texte littéraire rapportant un débat. Le registre de la dispute est polémique.

Éponyme : personnage ayant donné son nom au titre de l'œuvre, comme Micromégas.

Explicite : qui est dit clairement, exposé sans détour.

Implicite : qui est dit de manière détournée, sous-entendue.

Incipit : début d'une œuvre, dont le but est de permettre la compréhension de l'intrigue et de susciter l'intérêt du lecteur.

Ironie : double discours qui consiste à dire une chose tout en suggérant l'inverse. L'ironie joue sur l'implicite, et doit être décodée par le lecteur.

Narrateur : voix qui raconte l'histoire. Il peut adopter un point de vue externe, interne, omniscient.

Parodie : imitation moqueuse d'une personne ou d'une œuvre, qui est tournée en dérision. La parodie se rattache au registre satirique.

Persuader : attirer l'adhésion de l'interlocuteur ou du lecteur en faisant appel à la sensibilité, c'est-à-dire aux sentiments, aux émotions.

Préjugé : opinion préconçue, énoncée sans vérification ou analyse préalable.

Registre : tonalité d'un texte. Il peut notamment être comique, tragique, pathétique, satirique, épique, polémique, didactique.

Satire : critique dénonçant ouvertement une personne, une institution ou une idée, au moyen de la moquerie : ses vices ou ses défauts sont tournés en dérision.

Glossaire

© Éditions Belin/Éditions Gallimard, 2015 pour l'introduction, les notes et le dossier
pédagogique.
170 bis, boulevard du Montparnasse, 75680 Paris cedex 14

ISBN 978-2-7011-9306-9
ISSN 2104-9610

Cet ouvrage a été composé par Palimpseste à Paris
Iconographie: Any-Claude Médioni.

Imprimé en Espagne par Novoprint (Barcelone)
Dépôt légal: août 2015 – N° d'édition: 70119306-05/déc2019